태풍

한국셰익스피어학회 총서 005

태풍The
Tempest

윌리엄 셰익스피어 지음
박정근 옮김

도서출판 ┃동인

지금까지 셰익스피어 작품에 대한 번역은 끊임없이 다양한 동기에 의해 진행되어 왔다. 초창기 셰익스피어 작품 번역은 일본어 번역을 우리말로 옮기는 작업이었다. 일본이 서구에 대한 수용을 활발한 번역을 통해서 시도하였기 때문에 일본어를 공부한 한국 학자들이 번역을 하는데 용이했던 까닭이었다. 하지만 이 경우는 문학적인 차원에서 서구 문학의 상징적 존재인 셰익스피어를 문학적으로 소개하는 것이 목적이어서 문어체를 바탕으로 문장의 내포된 의미를 부연하게 되어 매우 복잡하고 부자연스러운 번역이 주조를 이루었던 것이 문제가 되었다.

그 다음 세대로서 영어에 능숙한 학자들이나 번역가들이 셰익스피어 번역에 참여하게 되었다. 셰익스피어 작품에 대한 수많은 주(note)를 참조하여 문학적 이해와 해석을 곁들인 번역은 작품의 깊이를 파악하는데 많은 도움이 되었다고 볼 수 있다. 하지만 셰익스피어 작품을 무대에 올리는 배우들에게는 또 다른 문제가 생길 수밖에 없었다. 문학적 해석을 번역에 수용하는 문장은 구어체적인 생동감을 느낄 수 없었고, 호흡이 너무 길어 배우가 대사로 처리하기에 부적합하였다.

이런 문제점을 해결하기 위해서 번역가마다 각자 특별한 효과를 내도록 원서에서 느낄 수 있는 운율적 실험을 실시하기도 하였다. 그런 시도는 셰익스피어 번역에 새로운 분위기를 자아내었을 뿐 아니라 다양한 번역이 이루어져 나름의 의미가 있었다고 본다. 반면에 우리말을 영어식의 운율에 맞추는 식의 인위적 효과를 위해서 실험하는 것은 배우들이 대사 처리하기에 또 다른 부자연성을 느끼게 하였다.

한국에서 셰익스피어를 연구하는 학자들이 모이는 한국셰익스피어학회에서 셰익스피어 탄생 450주년을 기념하여 셰익스피어 전작에 대한 새로운 번역을 시도하기로 하였다. 우선 이번 번역은 셰익스피어 원서를 수준 높게 이해하는 학자들이 배우들의 무대 언어에 알맞은 번역을 한다는 점에서 차별성을 두고자 한다. 또한 신세대 학자들이 대거 참여하여 우리말을 현대적 감각에 맞게 구사하여 번역을 하자는 원칙을 정하였다.

시대가 바뀔 때마다 독자들의 언어가 달라지고 이에 부응하는 번역이 나와야 한다고 본다. 무대 위의 배우들과 현대 독자들의 언어감각에 맞는 번역이란 두 마리 토끼를 잡는 것은 그리 쉬운 일은 아니지만 매우 의미 있는 일일 것이다. 이번 한국 셰익스피어 학회가 공인하는 셰익스피어 전작 번역이 성공적으로 이루어지도록 뒷받침하는 도서출판 동인의 이성모 사장에게 심심한 감사의 뜻을 전하며 인문학의 부재의 시대에 새로운 인문학의 부활을 이루어내는 계기가 되리라 믿는다.

2014년 3월
한국셰익스피어학회 17대 회장 박정근

옮긴이의 글

『태풍』은 셰익스피어의 마지막 작품이며 로망스로 분류된다. 이 작품은 한국 무대에서 매우 사랑을 받는 작품으로 한국 관객들에게도 잘 알려져 있다. 작품에 대한 이 번역을 통해서 한국배우들의 자연스러운 대사를 도와주고 독자들도 편하게 읽을 수 있으면 한다. 지금까지 문학적 이해를 우선하여 번역된 것과는 달리 배우들이나 독자들이 편하게 발성하고 대사를 할 수 있는 구어체 문체를 위주로 처리하려고 노력하였다.

이 작품은 셰익스피어가 바라보는 영국역사와 인간사회에 대한 부정적인 시각과 긍정적 해결책을 보여준다. 30년간의 장미전쟁은 반역과 골육상쟁으로 점철되어 있어 인간의 사악함을 여실히 보여주었다. 셰익스피어가 판단하기에 인간사회가 희극적 비전을 보여주기 위해서는 이기적인 인간의 정신적 한계를 뛰어넘는 초자연적인 힘이 필요했다. 셰익스피어의 관점에서 인간은 권력을 가지고 문명을 누린다고 큰소리치지만 사실 한치 앞을 보지 못하는 존재일 뿐이다.

셰익스피어는 프로스페로가 밀라노에서 반역에 의해서 정권을 빼앗기고 딸 미란다와 함께 사는 섬을 작품의 배경으로 설정하고 있다. 이곳은 원시와 마술이 지배하는 곳으로 밀라노나 베니스의 타락한 문명을 상징하는 인간들이 프로스페로의 영향권으로 들어와 고통과 시련을 거친 후 변화하게 된다. 특히 원시적 토착민을 상징하는 캘리반은 마녀의 아들로 프로스페로와 미란다에 의해서 언어를 배운 인물이다. 그의 이중적인 성격을 대사 속에 녹여내는 것은 그리 용이한 일은 아니다. 에어리얼은 요정으로 프로스페로의 종노릇을 하지만 초자연적인 존재로 그에 맞는 어투를 찾아 성격화를 시도하였지만 우리말로 표현하는 것은 난제였다. 하지만 그들은 모두 프로스페로가 원수들을 교화시켜 화해를 이루기 위해 만든 상상의 인물로서 처리하였고 작품해설에서 이 화해의 제의를 기독교적 관점에서 해설하고자 하였다.

이 작품이 로망스이지만 끝으로 갈수록 희극적 비전을 보여주어야 하기 때문에 제의적 노래는 경쾌하고 밝게 번역하려고 노력하였다. 세부적인 면에서 문학적 해석이나 설명이 필요한 부분은 '미주'로 처리해서 이해를 돕고자 한다. 굳이 작품 안에 구구절절한 설명을 삽입하여 대사가 장황하게 되는 경우를 피하고 하였다는 것을 밝혀둔다. 아무쪼록 셰익스피어의 마지막 작품인 『태풍』을 배우들이나 독자들이 편하게 연기하고 즐길 수 있었으면 한다.

2014년 5월
박정근

| 차례 |

등장인물

장면: 어느 외딴섬

알론조 나폴리 왕

세바스챤 알론조의 동생

프로스페로 말라노 전 공작

안토니오 프로스페로의 동생, 현 밀라노 공작

퍼디난드 나폴리 왕자

곤잘로 충직한 고문관

아드리언

프란시스코 ⎤ 귀족

캘리반 섬의 야만적인 원주민(프로스페로의 노예)

트링큘로 어릿광대

스테파노 술주정꾼 요리장

선장

갑판장

선원들

미란다 프로스페로의 딸

에어리엘

시어리스

주노 ⎤ 정령

요정들

초동들

1막

1장

바다 위의 배 한척

천둥과 번개의 폭풍 소리가 들린다.
선장과 갑판장 등장

선장 갑판장!

갑판장 여깁니다, 선장님. 상황은 어때요?

선장 이봐, 선원들에게 전하게, 신속하게 일하라고. 잘못하면 좌초하겠어.
빨리해, 빨리.   (퇴장)

선장의 호각소리가 들리고 선원들 등장

갑판장 이봐, 자네들! 힘을 내세, 힘을, 이 사람들아!   5
빨리 하라구, 빨리! 꼭대기 돛을 내려. 선장 호각소리
잘 듣고. 어디 바람아, 불 데가 있으면 찢어지도록
불어봐라!

알론조, 세바스챤, 페르디난드, 곤잘로, 기타 등장.

알론조 자, 갑판장, 조심하라. 선장은 어디 있는가?
담대하게 대처하라.   10

갑판장 제발, 내려가십시오.

안토니오 선장은 어디 있는가, 갑판장?

갑판장 그의 말이 안 들리십니까? 우리 일을 가로막고 있사오니 선실로
　　　　내려가십시오. 이건 폭풍을 돕는 겁니다.

곤잘로 아니, 이봐, 닥치지 못해!　　　　　　　　　　　　　　　　　15

갑판장 바다가 그러라면 그렇게 하죠. 비키세요! 으르렁대는 파도가 왕
　　　　이라고

　　　　봐준답니까? 선실로 가세요,

　　　　방해하지 말고.

곤잘로 보거라, 이 배 위에 어떤 분을 모시고 있는지 명심해라.

갑판장 저보다 귀한 것은 없소. 고문관이시니,

　　　　호령하셔서 어전이니　　　　　　　　　　　　　　　　　20

　　　　폭풍이 잠잠해진다면, 더 이상

　　　　밧줄에 손을 대지 않겠소. 한번 해보쇼.

　　　　할 수 없다면 지금까지 오래 살아온 걸 감사하고

　　　　앞으로 일어날 사태를 위해　　　　　　　　　　　　　25

　　　　선실로 내려가 대비하세요. 여보게들, 힘내게!

　　　　좀 비켜달라고 하지 않았소이까.　　　　　　　　　(퇴장)

곤잘로 저 놈에게서 큰 위안을 받는구나. 내 생각에는 저 놈은
　　　　물에 빠져죽을 상은 아닌 것 같아. 관상을 보니 필시
　　　　교수형감이야. 운명의 여신이여, 저 놈이 꼭　　　　　30
　　　　교수형을 당하도록 해주셔서, 저 놈의 운명밧줄이
　　　　우리 닻줄이 되게 하소서, 우리 것은 아무 쓸모없게 되었으니.
　　　　저 놈이 교수형 당할 팔자가 아니라면

우린 절망이구나.

갑판장이 다시 등장

갑판장 꼭대기 돛을 내려라! 빨리! 내려, 내리라구!

큰 돛으로 배를 조종해! (안에서 울음소리)   35

염병할 이 고함소리! 폭풍이나 명령보다

더 크단 말이야.

세바스챤, 안토니오, 곤잘로 다시 등장

또 이러실 겁니까! 여기 왜 나오셨어요? 다 포기하고

익사할까요? 침몰하고 싶냐구요?

세바스챤 저 빌어먹을 목구멍으로 버릇없이 지껄여대다니,   40

성질 더러운 개새끼로구나!

갑판장 그럼 당신이 일하시지.

안토니오 목을 맬 놈! 너 창녀 새끼, 무엄하게 떠들어대다니.

물에 빠져 죽는 거 두렵지 않아,

네 놈보다 말이야.   45

곤잘로 보증컨대 저 놈은 익사할 놈은 아니오, 배가 아무리

호두껍질보다 튼튼하지 못하고, 오줌싸개 여자처럼

물이 질질 새더라도 말입니다.

갑판장 배를 돌려라, 돌려! 앞 돛, 큰 돛 모두 올려라! 다시

바다로, 멀리 나가.   50

선원들 물에 흠뻑 젖어 등장

선원들 다 틀렸어, 기도나 해, 기도! 모두 끝났다구! (퇴장)

갑판장 (천천히 술병을 꺼내며)

우리 모두 익사해야 한단 말이야?

곤잘로 왕과 왕자님께서 기도드리고 계시니, 함께 합시다,

모두 같은 처지이니 말이오.

세바스챤 참는 데도 한도가 있어.

안토니오 술주정뱅이놈들에게 완전히 속았어요.   55

이 뻥만 치는 놈들, 너희 놈들 물에 빠져 죽어서

조수에 한 닷새 떠다녔으면 좋으련만!

곤잘로 여하튼 그 놈은 교수형을 당할 거요, 온 바닷물이 반대하여,

입을 최대로 벌려 그 놈을 삼키려 해도 말이오.

(안에서 뒤섞인 외침 소리) "저희에게 자비를 베푸소서!"

"배가 부서진다, 부서져!" - "안녕, 여보,

자식들아!"   60

"안녕, 아우야!" - "부서진다, 부서져, 배가!"

안토니오 모두 왕과 함께 침몰합시다.

세바스챤 그 분께 작별을 고합시다.

곤잘로 이젠 저 넓은 바다라 할지라도 조그만 불모의 땅과 바꾸리라,

아무리 가치 없고 황량해도 말이다. 신의 뜻대로 하소서!

하지만 나는 정말 마른 땅에서 죽고 싶구나.   (퇴장)

2장

섬. 프로스페로의 동굴 앞

프로스페로와 마란다 등장[1]

미란다 아버님, 당신께서 마법으로 거친 바다를

으르렁대게 하셨다면, 진정시켜주세요.

하늘이 냄새가 역겨운 역청을 퍼부을 것 같아요,

바다가 하늘의 뺨을 칠 정도로 뛰어올라

번갯불을 꺼버리지 않는다면요. 고통스러워하는 자들을   5

보면 저도 고통스러워요! 고상한 배에는

틀림없이 고귀한 분이 타고 있었을 텐데,

산산조각이 나고 말았어요. 아, 그 울음소리를 들으니

내 마음이 아팠어요. 불쌍한 사람들이 죽고 말다니!

제가 힘 있는 신이라면 저 바다를 땅속으로   10

가라앉게 했을 거예요.

바다가 저 훌륭한 배를 집어삼키기 전에,

태우고 있던 승객들도요.

프로스페로 진정해라. 놀랄 것 없단다. 네 연민어린 마음에게 말해라,

아무것도 해를 입지 않았다고 말이다.

미란다 아, 불행한 날이에요!

프로스페로 아무런 해도 없다니까.   15

너를 위한 것일 뿐이야, 난 아무런 짓도 하지 않았어.

널 위해서지, 귀여운 얘야, 내 딸아,

넌 네 신분도 모르고, 내가 어디서 왔는지도

모르지 않니. 내가 어설픈 동굴의 주인이요,

그리 잘난 것도 없는 아버지인 지금의 프로스페로보다   20

지체가 높은 몸이란 것도 모르지 않느냐 말이다.

미란다 그저 알게 되는 것 그 이상은

생각한 적도 없었어요.

프로스페로 이제 다 얘기를 할 때가 됐구나. 네 손 좀 빌리자,

내 마법 의상을 벗겨다오. 그래,

(망토를 내려놓는다.)

나의 마법이여, 거기서 쉬거라. 눈물을 닦고

안심하거라.   25

그 무서운 난파 장면이 네 연민어린

마음을 움직였구나.

내가 미리 마법으로 손을 써놓아서

모두 안전하단다. 단 한 사람이라도 말이다.

네가 울부짖는 소리를 듣거나 침몰하는 것을 본   30

배안 사람들의 터럭하나도.

앉거라.

왜냐면 이제 네가 더 알아야할 게 있단다.

미란다 아버님은 가끔

내가 어떤 신분인지 말하시려다, 멈추시고,

질문을 해도 아무런 대답도 없으시다가, "기다리거라,   35

아직은 때가 아니다"라고 결론을 내리시곤 했었죠.

프로스페로 이제 때가 왔구나. 이 순간 귀 기울여서

잘 들어라.

(바위를 의자 삼아 앉자, 미란다가 곁에 앉는다.)

넌 기억하고 있니,

우리가 이 동굴에 오기 전 시기를 말이다?

그럴 수 없겠지, 그 때 네가 채 세 살이   40

안 되었을 때이니까.

미란다 아뇨, 분명히 기억해요.

프로스페로 어떤 모습인데? 어떤 다른 집이니, 아니면 사람이니?

그 어떤 영상인지 말해 보거라,

네 기억 속에 있는 걸 말이다.

미란다 너무 까마득해서,

꿈만 같아요, 내 기억이 보증하는   45

확신보다 말이에요. 저를 돌보는

네다섯 명의 여인이 있지 않았어요?

프로스페로 그랬지, 더 많았단다, 미란다. 하지만 그게

어떻게 네 마음속에 남아있단 말이냐? 네 어두운 과거와

시간의 심연 속에서 다른 어떤 것이 보이느냐?   50

네가 여기 오기 전 어떤 걸 조금이라도 기억하는지,

여기에 어떻게 오게 되었는지에 대해서 말이다.

미란다 헌데 기억나지 않아요.

프로스페로 십이 년 전이야, 미란다, 십이 년 전에

　　　　네 아버진 밀라노의 공작으로

　　　　권세 있는 군주였단다.

미란다 그럼 제 친아버지가 아닌가요?　　　　　　　　　　55

프로스페로 네 어머닌 모범적인 여인이었는데,

　　　　네가 내 딸이라고 하더구나. 그리고 네 아버진

　　　　밀라노의 공작이었고, 무남독녀인 그녀는

　　　　못지않게 고귀한 가문의 공주였지.

미란다 어머!

　　　　무슨 흉계가 있었기에 우리가 이리 오게 되었나요?　　　60

　　　　아니면 그게 행운이었나요?

프로스페로 둘 모두란다, 얘야.

　　　　네 말대로 우리는 여기로 내쫓겼지만,

　　　　신의 섭리로 이리 오게 된 거야.

미란다 마음이 아파요,

　　　　저 때문에 아버지께서 겪으셨을 고난을 생각하자니,

　　　　잘 기억이 나지 않지만요! 좀 더 말씀해주세요.　　　　65

프로스페로 내 아우이자, 너의 숙부인 안토니오라는 작자가,

　　　　부탁인데, 내 오점이 되었지만, 아우란 놈이

　　　　그렇게 배신하다니! ―너 다음으로 세상에서

　　　　제일 사랑하였던 놈이었고, 그래서 그 놈에게

　　　　모든 국사를 맡겨두었는데 말이다. 그 당시에는　　　70

모든 공국 중에서 최고였지,

명성을 최고로 날렸던

프로스페로 공작은 학문에서

당할 자가 없었어. 연구에 전념하느라

통치를 내 아우에게 맡겨버렸지,   75

나랏일에는 점점 소홀해지고 마법연구의

황홀함에 빠져 몰두하였단다. 네 부정한 삼촌은ㅡ

듣고 있는 거니?

미란다 (바다로부터 눈을 돌리며) 그럼요, 온통 집중해서요.

프로스페로   일단 완벽하게 소청을 들어주고,

거절하는 방법, 누구를 등용하고, 너무 출세한   80

자를 제압하는 방법을 숙달하고 나서는,

그들을 바꾸고, 새로 조각하였단다.

관직과 행정의 열쇠를 모두

틀어쥐고 있어서, 모든 국민들이

그의 장단에 맞출 수밖에, 이제 그는   85

왕권의 나무둥치를 둘러싸고 권력을

빨아먹는 담쟁이[2]가 되어버렸지. 너 듣고 있는 거냐?

미란다 (켕기는 듯) 네, 그럼요, 듣고 있어요.

프로스페로   내 말을 잘 들어라.

세속을 소홀히 했던 나는, 완벽하게

틀어박혀 마음을 수양한 나머지, 세상을 등지고   90

세인들의 이해의 도에 넘쳐서, 내 부정한 아우의

사악한 마음을 불러일으켰던 거야. 내 신뢰는

좋은 부모가 그러듯이, 정반대로 그에게서

기만을 낳고 말았어. 기만은 내 신뢰만큼이나 밑도

끝도 없었던 거지. 그는 왕이라도 된 듯   95

내 수입이 내는 소출뿐만 아니라

내 권력이 거두어들일 것까지도 횡령하였는데,

거짓말을 하다보면, 자신의 기억을 속여

자신이 한 거짓말을

마치 진실이라 믿듯이, 그는   100

자신이 진짜 공작이라고 믿게 된 거지.

대리가 아닌 왕권의 외형적 얼굴 노릇을

하다 보니, 그것도 전폭적 특권으로 말이야, ─

그래서 야심은 커지고 ─

너 듣고 있니?   105

미란다 네, 아버지 이야기는 귀머거리도 듣겠어요.

프로스페로 그 놈은 자기가 하는 역할과 대행직의 차이를

없애려고 자신이 밀라노의 공작이 되기로

결심한 거야. 보잘 것 없는 나로선 서재가

충분한 크기의 공국인거지. 그가 생각하기에   110

실질적 행정에 대해선 내가 무능하다고 보고

권력에 눈이 멀어 나폴리 왕과 손을 잡고는

그에게 매년 조공을 바치고, 신하의 예를 갖추며

밀라노 공작의 관을 그의 왕관에 예속시키고 말았단다.

아직 굴복한 적이 없는 공국을-아, 불쌍한 밀라노여!- 115
가장 치욕적으로 굴종시키다니.

미란다 오, 하나님!

프로스페로 그 합의조건과 결과를 들어 보거라, 그리고 말해다오,
이 자가 친아우라고 할 수 있는지를.

미란다 할머니가 못되게 처신하셨다고
생각하면 죄를 짓게 되겠지요.
착한 자궁에서 못된 자식들도 태어나니까요.

프로스페로 그래, 그 합의조건은, 120
나에겐 철천지원수[3]인 나폴리 왕이,
내 아우의 청을 쾌히 받아들여서,
속국의 예를 갖추는 대가로
얼마나 조공을 바치도록 했는지 모르지만,
공국으로부터 나와 가족을 추방하고, 125
아릅다운 밀라노를 모든 명예와 함께
아우에게 넘겨주라는 것이었단다.
그래서 반란군을 징집하여 거사를 하기로 한
어느 한 밤중에 안토니오는 열어주고 말았어,
밀라노의 성문을 말이야. 칠흑 같은 밤중에 130
공모한 하수인들은 나와 울부짖는 너를
서둘러 몰아낸 거지.

미란다 (다시 눈물을 흘리며) 어머, 가엾어라!
그때 얼마나 울었는지 모르지만,

이제 다시 울래요, 그 얘기를 들으니

내 눈에서 눈물이 나네요.

프로스페로 좀 더 들어 보거라,   135

그 다음 지금 우리와 연관된 요즘 일들을

네게 말하겠다. 그게 없으면 이 이야기는

전혀 적절하지 않을 게다.

미란다 어째서 그 때 그들은 우리를

없애지 않았을까요?

프로스페로 잘 질문했다, 얘야.

내 이야기를 듣고 그런 질문을 하겠지. 아가, 그들은   140

감히 못했어, 우리 시민들이 나에 대해 엄청난 사랑을 품고

있었거든, 또한 이일에 피를 흘릴 수도 없었던 거야.

그놈들은 흉측한 의도를 그럴듯하게 꾸미려 했단 말이다.

(그는 더듬거리다 빠르게 지속한다.)

간단히 말하면, 그들은 우리를 서둘러 배에 태워서,

바다 멀리 싣고 가서는, 거기에 썩은 배 한척을   145

대기시켰는데, 그건 연장도, 돛줄과 돛도,

게다가 돛대도 없어서 쥐마저도 본능적으로

도망칠 지경이었지. 그들은 거기서 우리를 떠내려 보냈는데

바다를 향해 울부짖으면 바다는 우리에게 으르렁거리고,

바람을 향해 한숨을 지으면 가련한지 바람이 한숨으로   150

답하는데, 그 동정이 도리어 괴롭더구나.

미란다 아, 제가 얼마나 골칫거리였을까,

그때 아버지께 말이에요!

프로스페로 아, 천사였지

나를 지켜주는. 넌 미소를 지었어,

하늘로부터 불굴의 정신을 부여받고 말이다.

내가 짜디짠 눈물방울로 바다를 치장할 때   155

괴로움에 신음하면 내면에서 인내심을 불러일으켜

어떤 일이 닥치더라도 지탱할 수 있도록

힘을 주었단다.

미란다 우리가 어떻게 뭍에 닿았죠?

프로스페로 신성한 하느님의 섭리였지,

약간의 음식과 물이 있었는데,   160

곤잘로라는 나폴리 귀족이 이 일의 책임자로

임명되었는데, 그의 자비심으로 제공한 거야,

우리에게 훌륭한 의복과 옷감,

가재도구와 일용품을 주었는데,

지금껏 매우 쓸모가 있었지, 그는 고상한 성품으로   165

내가 책을 사랑하는 걸 알고 서재에서

나의 공국보다 귀하게 여기는 책들을

가져다주었단다.

미란다 제가 그분을 한번이라도

뵙게 된다면 좋을 텐데!

프로스페로 이제 일어나야겠구나.

(망토를 다시 입는다.)

가만히 앉아서 바다에서 겪은   170

슬픈 마지막 이야기를 들어 보아라,

바로 이 섬에 도착해서, 나는 선생으로 다른 어떤 공주보다

더 훌륭하게 교육을 시켰단다, 대부분 시간을 헛되이 보내고

선생도 열의가 없거든.

미란다 정말 감사해요! 아버지, 이제 부탁드려요,   175

아직도 가슴이 두근거리고 있사오니, 이 바다에 폭풍을

일으킨 이유를 말이에요.

프로스페로 이 정도로 알아둬라.

정말 기이하게도 자비로운 운명의 신이 말이다,

(현재 나의 소중한 수호신⁴이다만) 적들로 하여금

이 해안으로 데려왔단다, 그리고 내 예견으로는   180

내 운명의 정점은 매우 상서로운 별⁵ 하나에 달려있는데,

그 영향력을 받아들이지 않고 무시하면,

내 운명은 기울고 말 것이다. 이제 더 묻지 말거라,

네가 졸린 모양이다. 졸리면 자는 게 좋지.

넌 자지 않을 수 없겠지.

(미란다는 잠든다.)

그는 무대 위에 마법의 원을 그린다.

이리 오거라, 하인 놈아, 이리로. 이제 준비가 됐구나.

다가 오거라, 에어리엘, (지팡이를 들어올린다.) 오라니까.

에어리엘 만세. 위대한 주인님! 공경하는 주인님! 대령하였습니다,

주인님의 분부를 최대한 거행하겠나이다. 하늘을 날든지. 190

물속에서 헤엄을 치거나 불 속에 뛰어들든지, 뭉게구름을

타든지, 엄명만 내리시면 이 에어리얼과 모든 부하들은

모두 따르겠나이다.

프로스페로 정령아,

너는 짐이 명령한대로 틀림없이

태풍을 일으켰느냐?

에어리엘 한 치도 어김없었사옵니다. 195

국왕의 배에 승선해서 한 때는 뱃머리에,

이어서 중갑판, 갑판에서, 그리고 모든 선실에서

불덩이로 놀라게 했고, 어떤 땐 몸을 나누어

여러 곳에서 불을 내었지요. 중간돛대, 돛가름대,

그리고 기움돛대에서 각각 불을 품어내다가 200

다시 한 덩어리가 되었습니다. 무서운 천둥의 선도자이신

죠오브 신의 번갯불도 이보다 더 빠르고

보이지 않을 정도는 아니었습니다. 뇌성벽력이 번뜩이고

으르렁대며 바다의 신⁶을 포위하여 그의 대담한 파도를

얼마나 떨게 하였던지 그 삼지창마저 겁을 먹은 듯 205

흔들렸사옵니다.

프로스페로 나의 용감한 정령이로다!

이 혼란 속에서 정신을 차릴 만큼

강인하고 부단한 자가 누가 있겠느냐?

에어리엘 단 한 사람도 없었사옵니다, 광기를 느끼지 않거나

절망적인 모습을 짓지 않는 사람 말입니다. 선원들 말고는 210

모두 거품이 이는 바닷물 속으로 뛰어들어 저 때문에

온통 불길에 휩싸여 있는 배에서 내리고 말았사옵니다.

왕자 퍼디난드는 머리카락이 마치 갈대처럼 곤두 선 채

제일 먼저 뛰어내리며 소리쳤사옵니다. "지옥은 비워두고

온 악마가 여기로 왔구나"라구요.

프로스페로   그래야 나의 정령이지! 215

그게 이 해안 근처가 아니냐?

에어리엘   이 근처입니다, 주인님.

프로스페로 그런데, 그들은 안전하겠지, 에어리얼?

에어리엘   머리카락 하나도 다치지 않았습니다.

그들을 물 위에 떠있게 한 의복도 흠결이 조금도 없을뿐더러

오히려 전보다 더 산뜻하옵니다. 그리고 명령하신대로

그들을 섬 주위에 무리를 지어 흩어놓았습니다. 220

왕자는 홀로 상륙하게 하여, 섬의 후미진 곳에 있게 했는데

한숨을 대기가 식을 정도로 내쉬면서

팔짱을 처량하게 낀 채 앉아있사옵니다. (그는 몸짓을 하여 설명한다.)

프로스페로   국왕의 배와 선원들은

어떻게 처리했는지 말해 보거라, 225

그리고 함대의 다른 배에 대해서도 말이다.

에어리엘   국왕의 배는

안전하게 정박해두었습니다, 깊숙한 만에요, 그곳은

언젠가 주인님께서 저에게 항상 파랑이 이는 버뮤다에서

이슬을 따오라고 하신 곳이지요. 그곳에 숨겨두었사옵니다.   230

갑판 아래 있던 선원들은 고된 노동을 한데다

마법을 걸어놓아 잠 속에 빠져 있구요.

제가 흩어놓았던 함대의 다른 배들은

다시 모여서 슬픔에 빠진 채 지중해를 항해하여,

나폴리로 돌아가고 있는 중입니다.   235

그들은 국왕의 배가 난파당하는 것을 보았기 때문에

그분이 돌아가신 줄로 알고 있을 것입니다.

프로스페로   에어리얼, 네 임무를

실수 없이 수행했구나. 하지만 일이 좀 더 있다.

시간은 어떻게 되었느냐?

프로스페로   (해를 쳐다보며)

적어도 두시는 되었겠구나. 지금부터 여섯 시간을   240

우리 둘이서 가장 귀중하게 사용해야겠구나.

에어리얼   할 일이 더 있사옵니까? 주인님께서 제게 고된 일을 시키셨으니

약속하셨던 것을 잊지 마시기 바랍니다,

아직 지키시지 않으셨거든요.

프로스페로   그래, 어쨌다는 거냐? 불만이냐?

네가 요구하는 것이 무엇이냐?

에어리얼   저의 자유입니다.   245

프로스페로   기한이 지나기 전인데? 더 이상 말하지 마라! (지팡이를 들어올리며)

에어리엘   제발

주인님께 해드린 값진 봉사를 기억해주십시오.

어떤 거짓말도 안했고, 실수도 저지르지 않았으며

불평이나 불만 없이 모셔왔습니다. 주인님께서 약속하셨죠,

만 일 년을 줄여 주시기로요.

프로스페로   넌 잊었느냐,   250

어떤 고통으로부터 널 구해주었는가를 말이다?

에어리엘   잊지 않았습니다.

프로스페로 넌 잊고 있어, 바다 밑 진흙뻘을

걸어 다니고,

살이 에이는 북풍을 타면서,

지하 수맥 속에서 내 일을 했다는 거지,   255

그것도 서리로 얼어붙었을 때 말이야.

에어리엘   아닙니다, 주인님.

프로스페로 거짓말을 하다니, 나쁜 놈! 그 사악한 마녀 시코랙스를

잊었어, 늙어빠지고 질투심에 가득 찬

꼬부랑 노파를? 그녀를 정녕 잊었더란 말이냐?

에어리엘 그렇지 않습니다.

프로스페로 틀림없어. 그 노파가 어디서 태어났지? 어디 말해봐라. 260

에어리엘 알지에입니다.

프로스페로   오, 그렇던가? 네 이전의 처지를

한 달에 한번은 얘길 해주어야겠구나,

넌 잊어버리거든. 그 빌어먹을 마녀 시코랙스는

사람들 듣기에도 끔찍한 수많은 나쁜 짓과   265

마법을 저질러 알지에서 추방되었지. 그녀가

행한 한 가지 때문에 목숨은 구했거든. 그게 사실이냐?

에어리엘 그렇습니다.

프로스페로 선원들이 눈두덩이가 시퍼런 노파를 임신한 채

이리로 끌고 와 여기에 버렸지. 내 종인 넌   270

네가 말했듯이 그 노파의 하인이었는데,

그런데 넌 너무 섬세한 놈이라서

저열하고 질색할 명령을 따를 수 없었어.

그녀는 엄중한 명령을 거역했다고 널 가두어버렸거든   275

더 강한 정령들의 도움을 받아서 말이다.

노발대발 화가 난지라

쪼개진 소나무 틈에 끼워 넣어버렸는데, 그 안에서

넌 고통스럽게도 12년간이나 갇혀있었지.

그동안 그 노파는 죽어버렸지,

너를 거기에 둔 채로 말이야, 거기서 넌 물방아 낙차처럼   280

숨 가쁘게 신음하고 있었거든. 그때 이 섬은

그 노파가 여기에 퍼질러 놓은 주근깨투성이

아들 놈 말고는 사람의 그림자도 없었단 말이다.

에어리엘 네, 그 노파의 아들 캘리반이지요.

프로스페로 멍청한 놈, 바로 그 밀이다. 그 캘리반이란 놈,   285

지금은 내가 부리고 있지만. 너도 잘 알고 있을게다,

내가 어떤 고통을 받고 있는 널 발견했는지 말이다.

네 신음소리에 늑대도 울부짖었고, 항상 으르렁거리는

곰의 가슴 속을 파고들었지. 그건 저주받은 자에게나

내려지는 고통이었어, 시코랙스도 풀어줄 수 없었다구.   290

내가 도착해서 네 신음소리를 듣고 소나무 틈을 벌려

널 꺼내준 건 바로 내 마법이었단 말이다.

에어리엘   감사드립니다, 주인님.

프로스페로 네 놈이 더 이상 불평을 늘어놓으면, 참나무를 쪼개어

네 놈을 옹이진 속에 집어넣어   295

울부짖으며 열두 해를 지내게 하겠다.

에어리엘   용서해주십시오, 주인님.

명령에 순종할 것이며

얌전하게 정령의 본분을 다하겠습니다.

프로스페로   그렇지, 이틀 후에

너를 풀어주겠노라.

에어리엘   고귀하신 주인님!

무엇을 해드릴까요? 명령만 내리십시오. 무엇입니까?   300

프로스페로 가서 바다의 요정이 되어

너와 나 이외엔 누구의 눈에도

띄지 않도록 해라. 다른 어느 누구에게도

보이지 않게 하란 말이다. 가서 그 모습으로 둔갑하고,

이리 오너라. 가라, 어서   305

서둘러.   (에어리엘 퇴장)

프로스페로가 미란다 몸 위로 숙인다.

일어나라, 아가, 일어나! 잘 잤구나,

일어나라니까!

미란다 말씀이 하도 신기해서 듣다가

졸음이 몰려왔답니다.

프로스페로 어서 잠에서 깨어나거라. 자,

캘리반이란 종놈을 찾아보자. 이놈은 도대체   310

공손하게 말을 듣는 법이 없단 말이야.

미란다   그잔 악한이에요, 아버님.

보기도 싫어요.

프로스페로   하지만, 지금으로는

그놈이 아쉽거든. 그놈은 불을 때고,

땔감도 구해오고, 우리에게 보탬이 되는

일들을 하지 않니. 자, 여봐라, 종놈아! 캘리반!   315

흙덩어리야!⁷ 대답하거라.

캘리반 (안에서)   안에 땔감은 충분해요.

프로스페로 냉큼 나오거라! 네가 할 일이 따로 있어.

거북이 같은 놈, 나오라니까! 언제 나올 거지?

바다의 요정으로 둔갑한 에어리얼이 재등장

멋있구나! 나의 깜찍한 에어리얼,

잘 경청하거라. (속삭인다.)

에어리엘　　　　　　주인님, 분부대로 시행하겠습니다.　　　320

프로스페로　악마가 사악한 네 에미에게 잉태시켜 놓은

　　　　　악독한 종놈아, 앞으로 나와!

캘리반 등장

캘리반　내 어머니가 더러운 늪에서

　　　　까마귀 깃털로 쓸어 모은 유독한 이슬이

　　　　당신 둘에게 쏟아져버려라! 남서풍이　　　325

　　　　불어와 당신들 모두 부스럼투성이가 돼버리라구!

프로스페로　이런 짓을 하다니, 틀림없이 오늘밤 네 놈이 근육 경련이 나고,

　　　　　옆구리가 결려 숨이 막히게 해주겠다. 도깨비들이

　　　　　설치는 기나긴 밤에 네 놈을

　　　　　마구 괴롭히게 해주겠어, 네 놈은 벌집처럼 사정없이 꼬집히고 330

　　　　　꼬집힌 자리마다 그걸 만든 벌에 쏘인 것보다

　　　　　더 아프게 해주겠단 말이다.

캘리반　　　　　　　　전 식사나 해야겠어요,

　　　　이 섬은 내 어머니 시코랙스가 물려준 섬이란 말이에요,

　　　　당신이 그걸 내게서 뺏어갔죠. 당신이 처음 왔을 때 나를

　　　　쓰다듬어주고, 나를 위하는 척하며 내게 과일음료를　　335

　　　　주곤 했지요, 그리고 낮과 밤에 불타오르는

　　　　큰 불빛과 작은 불빛[8]의 이름을

　　　　가르쳐주었어요. 난 당신을 사랑했고

　　　　섬의 모든 것들을 보여주었죠,

맑은 샘물과 짠 물 구덩이, 불모지와 옥토를,   340
그런 짓을 하다니 벌을 받아도 싸지! 시코랙스의 모든 마법물인,
두꺼비, 딱정벌레, 박쥐들아, 저자들에게 내려와라!
난 당신이 다스리는 단 하나 시민이지만
처음에는 내가 스스로 왕이었는데, 당신이 나를
이 단단한 바위 안에 가두고, 나에게서 나머지 섬을   345
빼앗아갔단 말이오.

프로스페로   이 무지막지한 거짓말쟁이 노예놈아,
친절이 아닌 채찍으로만 움직이는 놈아! 내 놈은 더럽지만
인정으로 고용하여 내 방안에
기거하게 했어, 네 놈이 내 딸의 순결을
범하려고 할 때까지 말이다.   350

캘리반 오, 원통하구나! 그걸 이루지 못하다니!
당신이 저지해버렸다구, 그렇지 않았다면 이 섬을
캘리반 자식들로 채울 수 있었을 텐데.

미란다 혐오스러운 노예놈,
선한 것이라곤 한자국도 없고   355
악행만을 일삼는 놈아! 난 너를 불쌍히 여겨
애써 말을 가르치고, 틈틈이 이것저것
가르쳤지. 너 야만인 놈이 의미를 몰라
짐승처럼 울부짖을 때 사람들이 알아들을 수 있도록
네놈에게 말을 전수하였어. 하지만 너   360
사악한 족속은 배웠지만 선량한 사람들과

함께 살 수 없는지라.

네 놈은 마땅히 바위 속에 갇혀 있어야 하고

투옥 그 이상의 형벌을 받아야할 놈이었어.

캘리반 당신은 나에게 말을 가르쳤지, 그 덕택으로   365

난 욕하는 걸 알았어. 내게 말을 가르친 벌로

염병에 걸려 뒈져버려라!

프로스페로 마녀 자식아!

땔감이나 가져 오거라, 빨리, 다른 일을 할 수 있도록

서두르는 게 좋을 것이다. 어깨를 으쓱거렸느냐, 악한아?

네 놈이 게을리 하거나 마지못해 내 명령을   370

수행을 하면 네 놈을 쥐가 나게 하고

온 뼈마디가 쑤셔서 울부짖게 만들어

짐승들마저 네 비명소리에 벌벌 떨게 하겠다.

캘리반 (기가 꺾여서) 안됩니다, 당신에게 빌겠소.

(방백) 복종할 수밖에 없군. 저 사람의 마술은 대단히 강력해서

우리 엄마의 수호신 세티보스⁹를 제재해서   375

그를 부하로 만들어버렸거든.

프로스페로   그러면 그렇지, 노예놈아, 가거라! (캘리반 퇴장)

눈에 보이지 않는 에어리얼이 악기를 연주하고 노래를 부르며 재등장;
퍼디넌드가 뒤따른다.

에어리얼의 노래

여기 금빛 모래사장으로 오세요.

그리고 손을 잡으세요:

그대가 인사를 하고 입을 맞추면

거친 파도도 잠잠해지지요.   380

여기저기 경쾌하게 스텝을 밟으면

달콤한 정령들이 후렴을

부르지요, 들어봐요, 들어봐요.

(안에서 가지각색으로 부르는 후렴) 멍 — 멍

에어리엘 감시견들이 짖는군요.   385

(안에서 가지각색으로 부르는 후렴) 멍 — 멍.

에어리엘 들어요, 들어봐요. 뽐내며 걷는

수탉들이 부르는 노래가 들리네요.

울어 젖히는 (안에서 가지각색으로 부르는 후렴) 꼬끼요, <u>꼬꼬꼬</u>

퍼디난드 이 노래는 어디서 들려오는가? 공중인가 땅속인가?   390

더 안 들리는구나. 틀림없이 이 섬을 다스리는 어떤 신이

조화를 부리는 거야. 모래톱에 앉아서

조난을 당한 부왕에 대해 다시 슬퍼하고 있는데,

이 음악이 파도를 타고 살며시 들려와서

달콤한 곡조로 그것들의 분노와 내 열정을

진정시켰어. 그 순간부터 내가 음악을 따라왔든지   395

아니면 음악이 나를 끌고 왔던 거지. 하지만 그 음악은 사라졌어.

아냐, 그게 다시 시작되는군.

에어리얼의 노래

다섯 길 물길 속에 그대 아버지가 누워있어

　그의 뼈는 산호로 만들어지고　　　　　　　　　400

그의 눈은 진주가 되었네

　그의 몸은 조금도 썩지 않고

바다의 조화를 거치며 값지고

기이한 보물이 되었네

바다 요정이 매 시간 조종을 울리네　　　　　　405

(안에서 부르는 후렴) 딩-동

에어리엘 들어봐요! 지금 노래가 들리네요-딩-동. 벨.

퍼디난드 노래 소리가 조난당하신 아버님을 생각나게 하는군.

이건 사람이 하는 일이 아니며, 소리 또한

지상의 것이 아니야. 이제 노래가 내 위에서 들리는군.　　410

프로스페로 네 눈의 술 장식의 커튼을 걷고

저 건너 무엇이 보이는 지 말해 보거라.

미란다 저것이 무엇인가요? 정령인가요?

아버님, 두리번거리는 모습 좀 보세요! 제 말을 믿으셔요,

잘생긴 모습이에요. 하지만 이건 정령이지만요.

프로스페로 아니다, 얘야. 저건 음식을 먹고, 잠도 자고 우리처럼　　415

감각도 있지. 네가 보는 저 신사는

난파선을 타고 있었단다. 하지만 아름다움을 좀 먹는 벌레인

슬픔으로 어두워 보이지만 소위 미남이라고

부를 만하거든. 그는 일행을 잃어버리고

그들을 찾아 헤매고 있단다.

미란다　제가 그를 명명한다면　　　　　　　　　　　　　420

　　　천상의 인간이라고 부르겠어요, 왜냐하면 어떤 인간도

　　　저렇게 고상하게 보인 적이 없으니까요.

프로스페로　(방백) 잘 돼가는구나,

　　　내가 생각한대로 말이다. 정령아, 훌륭한 정령아! 이번 일의

　　　포상으로 이틀 안에 너를 해방시켜주겠다.

퍼디난드　정말 틀림없어, 이 곡조는

　　　여신에게 바치는 거야. 비옵나니　　　　　　　　　　425

　　　당신이 이 섬에 살고 있는지 알려주시옵소서!

　　　그리고 좋은 가르침을 주십시오,

　　　여기서 제가 어떻게 행동해야 하는가를, 제가 가장 늦게

　　　묻지만 가장 먼저 묻고 싶은 것은 경이로운 그대는

　　　처녀인지 아닌지에 대한 질문입니다.　　　　　　　430

미란다　경이가 아니라

　　　틀림없는 처녀일 뿐입니다.

퍼디난드　우리말을 하다니! 저런!

　　　저는 이 말을 쓰는 자 중에서 가장 신분이 높은 사람이지요,

　　　제가 우리말을 쓰는 곳에 있다면 말입니다.

프로스페로　(앞으로 나오면서) 뭐라고? 가장 높다고?

　　　나폴리 왕이 자네 말을 듣는다면 어떻게 되겠는가?

퍼디난드　이제 전 혼자인데, 나폴리에 대한 당신의 말씀을 듣다니　　435

　　　놀라울 따름이오. 그분이 제 말을 듣고 계시지요,

　　　그것도 제가 울고 있는 걸 말이오. 제가 나폴리 사람이고

눈물이 마른 적이 없는 제 눈으로 부왕께서

조난을 당하시는 걸 목격했소이다.

미란다　　저런, 자비를 베푸소서!

퍼디난드　네, 맞습니다, 그리고 그의 중신들 모두 말입니다. 밀라노 공작
과　　　　　　　　　　　　　　　　　　　　　　　　　440

그분의 빼어난 두 아들도 함께.

프로스페로　(방백) 지금 시기가 적절하다면,

밀라노 공작과 그의 훌륭한 딸이 너의 말을

바로 잡아 줄 수 있을 텐데. 저들은 첫눈에

반해버렸구나. 똑똑한 에어리얼아,

그 보상으로 너를 풀어주겠노라. (퍼디난드에게) 여보게,

한마디만 하지, 자네가 약간 실수한 게 있네, 잠깐만 이야기할까.

미란다　아버지께서는 왜 저렇게 거칠게 말씀하실까? 이 분은　　445

내가 세 번째로 본 사람인데, 처음으로

사랑하게 된 분이지. 아버지께서 측은한 마음으로

나처럼 생각을 하게 해주셨으면 좋을 텐데!

퍼디난드　그대가 처녀이고 누구에게도 연심을 주지 않았다면,

제가 그대를 나폴리의 왕비로 삼으리라.　　　　　　450

프로스페로　잠깐! 한 마디만 더 하지.

(방백) 저 애들은 서로 매력에 빠져있구나. 하지만 너무

빠른 사랑을 늦추어야겠다, 너무 쉽게 얻어 그 가치가 또한

가벼워지지 않도록 말이야. (퍼디난드에게) 한 마디 더 하겠는데,

넌 내 말을 잘 들어야해.　　　　　　　　　　　　455

넌 네게 마땅치 않은 호칭을 사칭했어.

게다가 이 섬에 스파이로 잠입했지,

내게서 이곳의 왕이란 지위를 빼앗으려고 말이다.

퍼디난드 사내대장부로서 그건 아닙니다.

미란다 저런 사원에는 악한 것이 머물 수 없어요.   460

악한 정신이 저렇게 아름다운 집에 깃든다면,

선한 것들이 그것과 함께 기거하려고 애쓸 거예요.

프로스페로 (퍼디난드에게 명령조로) 나를 따르라.

(미란다에게) 그를 변호하지 마라. 그는 역적이니까.

(퍼디난드에게) 자,

너의 목과 발 모두 쇠고랑을 채우겠다.

넌 바닷물을 마시게 될 것이다, 네 음식은   465

민물조개, 시든 풀뿌리, 도토리가 들어있던

껍질뿐이다.   따라와라.

퍼디난드   그럴 수 없소.

내 적이 나보다 이길 수 있다면 모르지만

난 그런 예우를 받을 수는 없소이다.

(그는 칼을 뽑지만 마법에 걸려 움직일 수 없다.)

미란다   아, 아버님,

저 분에게 너무 심한 시련을 주지 마세요, 그는   470

너무 고상하시고 비겁하지도 않으니까요.

프로스페로   뭐라고! 그렇다면

못난 놈이 날 가르치겠다는 거냐?   칼을 거두어라, 반역자.

거드름을 피웠지만 감히 치지 못할 것이다, 네 양심은

죄의식에 사로잡혀 있거든. 방어 자세를 그만 두거라,

난 이 지팡이 하나로 너를 무장해제를 시켜서

네 무기를 떨어뜨릴 수 있으니까.   475

(퍼디난드의 칼이 그의 손에서 떨어진다.)

미란다 (그의 외투를 잡아당기면서) 탄원 드립니다, 아버님.

프로스페로 저리 가라! 내 옷을 붙잡지 말라니까.

미란다   아버님, 불쌍히 여기세요.

제가 그의 보증인이 되어 드리겠어요.

프로스페로   닥쳐라! 한 마디만 더하면

널 혼내주겠다, 널 미워해서가 아니지만. 뭣이 어째!

사기꾼을 옹호하다니! (그녀가 울자) 조용히 하라니까!   480

넌 캘리반 밖에 본적이 없으니

저자만큼 잘생긴 자가 없다고 생각하겠지, 어리석은 것!

대부분의 사내들에 비하면 이 자는 캘리반 족속이라,

그에 비하면 그들은 천사 족속이지.

미란다   그렇다면 제 소원은

매우 소박한 편이지요. 이보다 더 잘생긴 자를   485

보고 싶은 욕심이 없으니까요.

프로스페로 (퍼디난드에게)   자, 내 말을 따라라.

네 근육은 어린 아이 것과 같아서

거기에 아무런 힘이 없다.

퍼디난드   정말 그렇구나.

내 활력이 마치 꿈을 꾸는 양 완전히 묶여 힘을 쓸 수 없구나.

아버님의 조난과 내가 느끼는 무력감,   490

모든 친구들의 조난과 이 자의 위협도

내가 굴복한 이 자에게는 하찮을 뿐이리라,

내가 하루에 한번 감옥을 통해 이 처자를

볼 수만 있다면 말이다.

세상 모든 곳이 자유로워도   495

나에겐 이 감방이란 공간만 가져도 충분하리라.

프로스페로   (방백) 효험이 나타나는구나. (퍼디난드에게) 이리 오너라.

(에어리얼에게) 아주 잘되었다, 기특한 에어리얼아! 나를 따라오거라,

그 외에 네가 해야 할 일에 귀 기울여라.

미란다   걱정하지 마세요.

아버님께서는 말씀하시는 것보다

훨씬 훌륭한 성품을 가지신 분이랍니다. 그가 행한 이런 일은 500

흔치 않은 모습이거든요.

프로스페로   (에어리얼에게)   널 산바람처럼

자유롭게 해주겠노라. 하지만 그 때까지는 내 명령을 한 치도

소홀하게 해서는 안 될 것이다.

에어리엘   한 치도 어김없이 하겠나이다.

프로스페로   (퍼디난드에게 다시 돌아서며) 자, 따라와라.

(미란다에게) 이 자를 옹호하지 마라. (퇴장)

2막

1장

섬의 다른 곳

알론조, 세바스챤, 안토니오, 곤잘로, 아드리언, 프란시스코,
그리고 다른 사람들 등장

곤잘로 탄원드립니다, 전하, 유쾌한 마음을 가지소서. 전하께서는
저희들처럼 기뻐해야 합니다. 우리가 생존한 것만 해도
손실보다 훨씬 크옵니다. 이렇게 슬픈 경우는
흔한 일인지라, 선원의 아내나
몇몇 상선의 선장이나 상인들은 날마다   5
같은 슬픔을 당하지만 이건 기적이라고
우리들의 구원을 말합니다만, 이런 경우는 수백만중에
몇 명밖에 있을까 말까 합니다. 그러하오니 전하,
통촉하시어 우리 슬픔을 그 위안으로 대신해 주시옵소서.

알론조 (올려다보지도 않고) 제발, 그만 두시오.

세바스챤 (안토니오에게 방백으로) 왕께서는 위로도 식은 죽처럼 받아들이는
구료.   10

안토니오 (세바스챤에게 방백으로) 저 자는 왕을 쉽게 포기하진 않을 거요.

세바스챤 (안토니오에게 방백으로) 봐요, 저 자는 기지의 태엽을 감고 있잖소,
조만간 그 종을 칠거요.

곤잘로 전하,

세바스챤 (안토니오에게 방백으로) 하나요, 세어보쇼.   15

곤잘로 다가온 모든 슬픔을 맞아드리면,

　　　　그에게 찾아오는 건ㅡ

세바스챤 (큰 소리로) 일 달라죠.

곤잘로 실제로 슬픔이 그에게 오지요. 공은 본래

　　　　의도한 것보다 말씀이 들어맞는 구료.   20

세바스챤 공은 의도한 것보다 현명하게 받아들이시는 구료.

곤잘로 그러하오니, 전하ㅡ

안토니오 저런, 저 자는 말을 쓸데없이 허비하는군!

안토니오 제발, 조용히 하시오.

곤잘로 알겠나이다, 하오나ㅡ   25

세바스챤 저자는 쉬지 않고 지껄일 거요.

안토니오 저자와 아드리안 중에서 누가 먼저 울지

　　　　내기 할까요?

세바스챤 늙은 수탉이죠.

안토니오 어린 수탉일 게요.   30

세바스챤 됐소. 무엇으로 걸죠?

안토니오 비웃기로 합시다.

세바스챤 좋습니다!

아드리언 비록 이 섬이 황량하게 보이고ㅡ

안토니오 하, 하, 하!

세바스챤 그렇게 내기는 청산된 겁니다.   35

아드리언 거주할 수도 없고, 거의 접근할 수도 없어 보이지만ㅡ

세바스챤 하지만, ―

아드리언 하오나, ―

안토니오 그걸 빼먹을 수 없겠지.   40

아드리언 기후는 틀림없이 기묘하고, 부드럽고

　　　　은은한 듯합니다.

안토니오 기후는 은은한 계집이었지.

세바스챤 아, 기묘하지, 그가 가장 현학적으로 말했듯이.

아드리언 우리는 여기 공기를 가장 감미롭게 호흡할 수 있죠.   45

세바스챤 마치 그것이 허파를, 그것도 썩은 허파를 가지고 있는 듯이.

안토니오 아니면 늪의 냄새로 절어있듯이.

곤잘로 여기는 삶에 유익한 모든 것이 있사옵니다.

안토니오 맞는 말이지. 살아갈 방도는 제외하고 말이야.

세바스챤 그건 전혀 없거나 거의 없지.   50

곤잘로 얼마나 풀은 무성하고 생기가 있는지요! 정말 푸릇푸릇합니다!

안토니오 사실 대지는 타들어가고 있거든.

세바스챤 그 안에 푸른 곳이 있긴 하지.

안토니오 그의 말이 그리 많이 틀리지는 않는군.

세바스챤 아니지. 그는 진실을 완전히 오도하고 있는 거지.   55

곤잘로 하지만 기이하기 짝이 없는 것은,

　　　　정말 믿을 수 없는 일인데. . .

세바스챤 수많은 기이한 것들이 다 그렇듯이.

곤잘로 우리들의 의복들이 바닷물에

　　　　젖었었는데도 불구하고 청결함과 광택이   60

소금물로 흠집이 나지 않고

오히려 새로 물들인 것 같습니다.

안토니오 저자의 호주머니 중에 하나라도 말할 수 있다면.

그가 거짓말하고 있다고 말하지 않을까?

세바스챤 아니면 그의 말을 호주머니 속에 슬쩍 숨길 수도 있겠지. 65

곤잘로 제 생각으론 저희들의 의복이 아프리카에서 처음 입었을 때처럼

깨끗합니다. 폐하의 클라리벨 공주와 튀니스 왕의 결혼식에서처럼

말이옵니다.

세바스챤 아름다운 결혼식이었지, 그래서 귀향항해도 이렇게 대단히

성공적이지만 말이야. 70

아드리언 튜니스는 이전에 이렇게 훌륭한 왕비를

맞이한 적이 없었을 것입니다.

곤잘로 미망인 다이도 왕비 시절 이후로는 없었습니다.

미망인이라고! 말도 안 돼! 어째서 거기에 미망인을 꺼내는 거지?

미망인 다이도[10]라고! 75

세바스챤 그가 "홀애비 이니애스"도 꺼내들면 어떨까? 이봐요, 어찌 그런

법석을 피우는 거요!

아드리언 "미망인 다이도"라고 하셨소이까? 당신 때문에 생각해보니

그녀는 튜니스가 아니고 카르타고 출신이었소.

곤잘로 그 튜니스가 바로 카르타고였단 말이오. 80

아드리언 카르타고였다고요?

곤잘로 자신 있게 말하지만 카르타고였소.

안토니오 그의 말은 기적과 같은 하프 그 이상이로구먼.

세바스챤 그가 성벽을 쌓고 집도 일으켰소이다.

안토니오 다음에는 어떤 불가능한 일을 쉽게 뚝딱 해낼까? 85

세바스챤 내 생각으로 저자는 이 섬을 호주머니에 집어넣고
　　　　　 집으로 돌아가서 사과대신에 선물로 줄 거요.

안토니오 그리고 바다에 씨를 뿌려 더 많은 섬을 태어나게
　　　　　 할 것이고.

곤잘로 그렇사옵니다. 90

안토니오 저런, 그러면 그렇지.

곤잘로 폐하, 저희는 의상이 지금은 왕비이신 공주님의
　　　　 튜니스 결혼식에서 입었던 것처럼 지금 말짱하다는 말씀을
　　　　 드리고 있는 겁니다.

안토니오 그리고 튜니스에서 맞아들인 최고의 왕비라고 말했지. 95

세바스챤 탄원하는데 미망인 다이도란 말은 빼주시구료.

안토니오 아, 미망인 다이도라! 그렇지 미망인 다이도지.

곤잘로 폐하, 저의 저고리가 첫 날 입었던 것처럼 말짱하지
　　　　 않습니까? 제 말은 다소 그렇다는 것입니다.

안토니오 다소라니, 말도 잘 둘러대는군. 100

곤잘로 공주님 결혼식에 제가 입었던 때처럼 말입니다.

알론조 (일어나 앉으며)
　　　　 경은 내 기분에 맞지 않게 이런 말들을 억지로
　　　　 주입시켜려고 하는 구료. 내 딸을 그곳으로
　　　　 결혼을 시키지 말아야 했는데! 거기서 돌아오다가
　　　　 아들을 잃고, 내 생각에는, 딸애도 105

이태리에서 멀리 떨어져서 다시는

만나지 못할 것 같소, 아, 나폴리와 밀라노의

상속자인 내 아들아, 네가 어떤 낯선 물고기의

밥이 되었단 말이냐?

프랜시스코   폐하, 왕자님께서는 살아계실 것입니다.

왕자님께서 파도를 가르며 그 등에 타고   110

헤엄쳐나가는 모습을 제가 목격하였습니다.

그는 물결을 밟고 그것들의 적의를 밀어제치고,

그에게 밀려오는 파도를 뚫고 나아가셨어요.

용감하게 머리를 쳐들고 엄청난 파도 위로

헤쳐 나가며, 힘찬 두 팔을 노 삼아 해변을 향하여 가셨죠.   115

파도에 패인 절벽도 그를 구원하려는 듯 허리를 굽히더군요.

제가 확신하건대 왕자님은 생존하시어 육지에 상륙하셨습니다.

알론조 아냐, 아니라고. 그 애는 죽고 말았소.

세바스챤 폐하께서는 이런 커다란 손실에 대해 자책할 수밖에

없습니다. 공주를 유럽나라에 주어 복되게 하지 않으시고   120

아프리카에 주어버리셨으니 말입니다.

적어도 공주님께서 폐하의 눈에서 멀어졌으니,

그 슬픔에 눈물을 흘릴만하십니다.

알론조 제발 조용히 하라.

세바스챤 저희들은 무릎을 꿇고 마음을 돌이키시도록 간청했었습니다.

우리 모두가 말입니다. 아름다운 공주님도 내키지 않는 마음과 125

복종의 의무감 사이에서 선택의 기로에서 갈팡질팡하며

고민하셨죠. 폐하의 왕자는 조난을 당하셨어요.

영원히 말입니다. 밀라노와 나폴리는 이번 일로 인해

돌아가 여인들을 위로해줄 남자의 수보다

과부가 더 많이 생기게 되었는데   130

그 잘못은 폐하에게 있습니다.

알론조   그래, 가장 큰 손실의 책임은 과인에게 있다.

곤잘로 세바스챤 공,

당신이 사실을 말하고 있다하더라도 무례하거니와

그걸 말해야할 시점도 아니오. 당신은 고약을 발라야할 때,

상처를 덧나게 하고 있어요.

세바스챤 그렇게 됐소이다.   135

안토니오 과연 명의답소이다.

곤잘로 폐하께서 용안이 어두우시면,

우리 모두 시커먼 먹구름에 휩싸이게 되옵니다.

세바스챤 시커먼 먹구름이라고?

안토니오   아주 시커멓구먼.

곤잘로 폐하, 제가 이 섬을 식민지로 개척하다면,

안토니오 저자는 쐐기풀 씨를 뿌리겠지.

세바스챤   아니면 소루쟁이나 당아욱 씨를 뿌리겠지.   140

곤잘로 제가 이 섬의 왕이라면 무얼 하겠사옵니까?

세바스챤 술이 없으니 취하지는 않겠구먼.

곤잘로 평등한 국가로 모든 국사를 정반대로

처리할 것입니다. 어떤 상거래도 용납하지

않겠습니다. 아무런 관직의 호칭이나 학문도   145
허용하지 않을 것이며, 부, 가난, 사역도
없을 것이며, 계약, 상속, 경계선도
땅의 구획, 경작지, 포도밭도 없을 것이며,
쇠붙이, 곡물, 포도주, 기름도 사용하지 않겠고,
직업도 없고 모든 남자들이 빈둥거릴 것입니다,   150
모두가요. 여자들도 마찬가지입니다. 그저 순진하고 순수하죠.
절대왕권도 없을 것이며, —

세바스챤   하지만 저자는 섬의 왕이 되겠다는 것이구먼.

안토니오 저자가 말하는 국가제도의 후반은 서론과
모순된단 말씀이야.

곤잘로 땀을 흘리지도 노력하지도 않고   155
자연이 생산하는 모든 것들을 공동으로
나누어 가지니, 반역이나 도둑, 검이나 창,
총이나 중무기 어느 것도 없을 것입니다.
하지만 자연은 온갖 곡식을 풍부하게 생산해서
순진한 백성들을 먹일 것입니다.   160

세바스챤 공의 백성들은 결혼도 안한단 말이요?

안토니오 안하겠지요. 모두 빈둥대니, 창녀와 범죄자뿐이죠.

곤잘로 저는 황금시대를 넘어설 정도로
완벽하게 통치할 것입니다.

세바스챤   폐하를 구원하소서!

안토니오 곤잘로 폐하 만세!

곤잘로　　　　　하온데, 폐하께서는 제 말을 듣고 계십니까?　　　165

알론조　제발 그만 두시오. 공이 어떤 말을 해도 나에겐 소용없소.

곤잘로　저는 폐하의 성은을 하늘과 같이 믿습니다.

　　　　　다만 허파가 극도로 민감하고 활기차서

　　　　　하찮은 일에도 웃어대는 이분들을 위해서

　　　　　웃음을 즐길 기회를 제공했을 따름입니다.　　　170

안토니오　우리가 비웃은 건 당신이었소.

곤잘로　이렇게 즐겁게 농담하는데 누가 그대들을 대적하겠소이까.

　　　　　그러하니 그대들은 하찮은 것에도 계속 웃도록

　　　　　하시지요.

안토니오　정통으로 한 대 얻어맞았군!　　　175

세바스챤　칼등으로 얻어맞지 않았다면 그렇죠.

곤잘로　여러분들은 용감한 기질을 타고난 신사분이라서,

　　　　　달이 다섯 주 동안 변하지 않고 궤도에 머문다면,

　　　　　그 달을 그곳에서 빼내려고 하셨을 것이오.

　　　　　　에어리얼 보이지 않게 엄숙한 음악을 연주하며 등장

세바스챤　그럴 거요. 그리고 그것으로 새를 잡으러 가겠지.　　　180

　　　　　　　　곤잘로 몸을 돌린다.

안토니오　아니, 너무 화를 내지 마시오.

곤잘로　아니, 제가 보장하죠. 난 내 분별력을 그렇게 어리석게

흐리게 하지는 않을 거요. 여러분들은 우스갯소리로 나를
잠들게 해주었군요, 몹시 졸리니 말이오?

안토니오 주무시오, 우리말을 들으면서. 185

(알론소, 세바스챤, 앤토니오를 제외하고 모두 잠든다.)

알론조 아니, 모두가 이렇게 빨리 잠들다니! 내 눈도
함께 내 생각의 문을 닫아주었으면 좋으련만.
내 눈도 졸음이 몰려오는 구나.

세바스챤　　　　　　주무시지요, 폐하,
찾아오는 잠을 쫓지 마십시오. 잠은 좀처럼
슬픔에 빠진 자에게 오지 않지만, 온다면 190
위로가 되기도 하지요.

안토니오　　폐하, 저희 둘이서 주무시는 동안
옥체를 지켜드리고, 폐하의 안전을
지켜드리겠나이다.

알론조　　　　　　고맙소, 놀랍게도 잠이 몰려오는구나.

(알론소가 잠든다. 에어리얼 퇴장)

세바스챤 참으로 기이한 졸음이 그들을 사로잡았구나!

안토니오 기후 탓이겠지요.

세바스챤　　　　　　그럼 어째서 195
그게 우리들의 눈꺼풀을 감기게 하지 않는 거지요? 나는 조금도
자고 싶지 않습니다.

안토니오　　　　　　　　나도 그렇소. 정신도 맑습니다.
그들은 모두 함께 곯아 떨어졌지요. 마치 약속이나 한 듯이 말이오.

벼락을 맞은 듯이 쓰러졌어요. 무엇 때문일까요, 세바스챤 경?

아, 무엇일까요? 그만 둡시다.　　　　　　　　　　　　　200

하지만 당신의 얼굴에는 그게 보이는 것 같소,

앞으로 어떻게 될지가 말입니다. 기회를 잡으라고 속삭이는 거지요.

왕성한 상상 속에 왕관이 당신 머리 위에 씌워지는 것이 보입니다.

세바스챤　　뭐라고, 당신 제 정신이요?

안토니오　제가 하는 말이 들리지 않습니까?

세바스챤　　　　　　　　들립니다, 그런데 확실히　　　205

그건 잠결 같은 말이요. 당신은 아마도 잠�대를 하고

있는 듯하오. 대체 무슨 말을 하고 있는 거요?

이건 기이한 잠인 게요. 눈을 크게 뜨고

잠을 자고 있는 거지요. 서서, 말하고, 움직이지만

곤하게 잠이 들어있다는 말이오.

안토니오　　　　　　　　고매하신 세바스챤 경,　　　210

당신은 행운을 잠재우고 있을 뿐 아니라―죽이고 있어요,

깨어있지만 눈을 감고 있는 격이지요.

세바스챤　　　　　　　당신은 분명히 코를 골고 있는데,

코 고는 소리에도 의미가 있소이다.

안토니오　나는 평소 때보다 더 진지한 말을 하고 있어요. 제 말에

집중하시면 공도 그러지 않을 수 없겠죠. 제 말을 따라주시면

세배나 귀하게 될 겁니다.　　　　　　　　　　　　215

세바스챤　　　　　　　　글쎄, 나는 고인 물이오.

안토니오　공이 밀물이 되는 법을 가르쳐드리지요.

세바스챤   그렇게 해주시오. 타고난 게으름은

썰물이 되는 것만 가르쳐주었소.

안토니오   아,

공이 농담을 하고 있지만 공이 가슴에 뜻하는 바를

품고 있다는 것을 알고만 있다면! 명예라는 옷은 벗어버리면   220

더 입게 되는 법이지요! 사실 썰물을 타고 있는 사람들은

자신의 두려움과 나태로 인해서 밑바닥을 헤맬 가능성이

십중팔구란 말입니다.

세바스챤   계속 말해보시오.

공의 눈빛과 표정을 보니 무언가 중요한 말을

꺼내고자 하는데, 그걸 발설하기가 참으로 어려워   225

고민하는 것 같소이다.

안토니오 (곤잘로를 가리키며)   이렇습니다.

기억력이 형편없는 이 분은 땅에 묻히면

거의 기억에 남아있지 않겠지만 여기서 거의 설득하였죠,

왜냐하면 그는 설득의 귀재이기 때문에,

국왕께 그의 아들이 살아있다고 능수능란하게 설득하였어요.   230

그가 익사하지 않았다는 것은 여기서 자고 있는 사람이

수영을 하는 만큼이나 불가능하지요.

세바스챤   그가 익사하지 않았으리라는

희망은 없는 것이오.

안토니오   오, '희망이 없다'란 말로부터

공은 대단히 거대한 희망을 가질 수 있죠! 한쪽에서   235

희망의 부재가 다른 쪽에서 매우 높은 희망으로 변하니,

야망의 눈으로도 그 너머를 넘볼 수 없고,

하지만 그 너머에서도 발견하리라는 희망은 없소이다.

퍼디난드가 익사했다는 제 주장에 동의할 수 있겠소이까?

세바스챤   그는 세상을 떠났소.

안토니오   그럼 말씀하시지요,

나폴리의 왕위 차기 계승자가 누구지요?

세바스챤   클라리벨이요.   240

안토니오 그녀는 튜니스의 왕비입니다. 그녀가 사는 곳은

일생을 가도 갈 수 없는 먼 나라입니다. 그녀는 태양이

우체부가 되지 않는다면 나폴리에서 편지 한 장 받을 수 없죠.

달에 있는 사람은 너무 늦어요, 갓난아이가 턱수염이 나서

면도할 나이가 될 때까지는 말입니다. 돌아오는 길에   245

바다에 익사할 뻔했다가 몇 명은 다시 살아나서

운명적으로 과거는 서곡에 불과하다고 연기하게 되었지만,

앞으로 닥칠 이야기는 공과 제가 맡아야할 역할입니다.

세바스챤   그게 무슨 말이오! 뭘 말하는 거요?

튜니스의 왕비인 질녀가 나폴리의 계승자라는 것은   250

명백한 사실이오. 두 나라 사이에는

상당한 거리가 있기는 하지만 말이오.

안토니오 한 자마다 각자의 서리를 내세우며 외치는 것

같소이다. "클라리벨 공주가 어떻게 나폴리로

돌아갈 수 있겠는가? 튜니스에 있으면서 세바스챤을

깨워라"라고 말이오. 만약에 그들을 사로잡은 게 255
죽음이라면, 지금보다 더 나쁠 수는 없습니다.
이 곤잘로처럼 필요 없이 떠들어내는
귀족들은 많소이다. 나 자신도 갈까마귀처럼
깊이 있게 지껄일 수 있죠. 오, 공께서도
저 같은 마음을 지니고 있다면! 당신의 출세를 위해 260
얼마나 중요한 잠인가! 제 말을 이해하겠소이까?

세바스챤 알 것 같소이다.

안토니오 그러면 이 좋은 행운을
어떻게 다룰 작정입니까?

세바스챤 내가 기억하기로는 265
당신은 형인 프로스페로를 권좌에서 몰아냈지요.

안토니오 맞소이다. 그리고
저의 의상이 얼마나 잘 어울리는지 보십시오.
이전보다 훨씬 몸에 잘 맞지요. 형의 하인들이 그 때는
저의 동료였습니다만, 지금은 저의 부하가 되었답니다.

세바스챤 하기야 양심의 가책만 문제가 없다면. 270

안토니오 그렇소이다. 그게 어디에 있답니까? 그게 발꿈치의 동상이라면
제 슬리퍼로라도 쓸모가 있겠지요. 하지만 제 가슴 어디에도
양심의 신은 없었습니다. 저와 밀라노 공작 사이에
스무 개의 양심이 가로막는다고 하더라도 응고 되었던
그것들을 녹여내었을 것입니다. 여기에 누워있는 당신의 형님은 275
그 아래에 있는 흙덩이와 다를 바 없소이다.

지금 그분의 모습이 닮아 있는 흙덩이에 불과하다면 그는
죽은 것입니다. 세치에 불과한 이 충성스러운 철검만 있다면
그분을 영원히 잠들게 할 수 있죠. 이 일을 벌이는 동안 공은
이 신중한 늙은이를 마찬가지로 영면할 수 있게 할 수 있어요. 280
우리가 하는 일을 나무라지 못하게 말입니다. 나머지 인간들은
고양이가 우유를 핥아 먹듯이 우리들의 악한 유혹에 넘어가겠죠.
그 작자들은 우리가 적절한 때가 왔다고 말하면 어떤 일이든지
알아서 시계 종을 칠겁니다.

세바스챤   동지여, 그대가 행했던 경우가   285
좋은 전례가 될 거요. 당신이 밀라노를 차지했듯이
나도 나폴리를 손에 넣겠소. 칼을 빼시오. 단 칼에
그대가 바치던 조공으로부터 자유롭게 해주겠소.
나는 왕으로서 그대를 총애할 것이오.

안토니오   함께 칼을 뽑읍시다.

(그들은 칼을 뽑는다.)

제가 칼을 쳐들면 당신도 똑같이 해서   290
곤잘로를 내리치시오.

세바스챤   잠깐 한 마디만

(그들이 떨어져 가서 말한다.)

에어리얼이 눈에 나타나지 않게 음악과 노래와 함께 다시 등장

에어리얼 (곤잘로에게 몸을 구부리며)
저의 주인께서 마술로 친구이신 당신이 빠진 위험을

예견하시고 저를 보내셨습니다. 그렇지 않다면

모두 살려두려는 그의 계획이 물거품이 되기 때문이죠.

(곤잘로의 귀에 노래한다.)

여기에 코를 골며 잠들어 있는 동안,   295

음모가 눈을 부라리며 기회를

　　엿보고 있구나.

목숨이 걱정스러우시면,

잠을 떨치고 경계하시오

　　깨어나시오, 깨어나!   300

안토니오 그러면 우리 함께 서두릅시다.

곤잘로 (깨어나며)　　　　　　아, 착한 천사들이여

국왕 폐하를 보호하여 주십시오!　　(다른 자들도 깨어난다.)

알론조 아니, 지금 어떻게 된 건가? 왜 칼을 뽑아 들었느냐?

어째서 이렇게 무서운 표정을 짓고 있는 것인가?

곤잘로　　　　　　　　　　무슨 일이오?

세바스찬 폐하께서 주무시는 동안 경호를 서고 있었는데,   305

방금 커다랗게 포효하는 소리를 들었는데,

황소나 아니 사자 같았사옵니다. 그것 때문에 깨신 게 아닙니까?

제 귀에는 아주 지독하게 들렸사옵니다.

알론조　　　　　　　　　나는 아무런 소리도 못 들었소.

안토니오 그건 괴물의 귀도 놀라게 할 소리라서 지진이라도

일으킬만한 것이었습니다! 확실히 그건 한 떼의 사자들이   310

으르렁 거리는 소리였습니다.

알론조   그대 그 소릴 들었소, 곤잘로?

곤잘로 맹세코 제 귀에는 콧노래 소리였습니다,

그것도 기묘한 노래였지요, 그것 때문에 깨어났습니다.

제가 폐하를 깨우며 소리쳤습니다. 제가 눈을 떴을 때

그들이 칼을 뽑아든 걸 보았습니다. 소리가 났던 것은   315

틀림없습니다. 가장 현명한 것은 경계를 단단히 하든지

여기를 떠나는 것입니다. 다 같이 칼을 뽑읍시다.

알론조 이곳을 떠나서 내 잃어버린 불쌍한 아들을 더

찾아보도록 합시다.

곤잘로   신께서 그를 이 맹수로부터 지켜주소서!

분명히 그는 섬 안에 있기 때문입니다.

알론조   길을 안내하시오.   320

에어리엘 (일행이 자리를 뜨자)

프로스페로 주인님에게 내가 실행한 일을 알려드려야겠다.

왕이시여, 무사히 아드님을 찾으러 가십시오.   (퇴장)

2장

섬의 다른 곳

캘리반이 나뭇짐을 가지고 들어온다. 천둥소리가 들린다.

캘리반 태양이 웅덩이, 늪, 소택지에서 빨아올린

모든 병균들이여, 프로스페로에게 떨어져, 그의 온 몸이

병들게 하라. 그의 정령들이 내 말을 듣는다고 해도,

난 저주를 내리지 않을 수 없다. 하지만 그가 명령하지 않는다면 5

그들은 나를 꼬집거나 도깨비 형상으로 나를 놀래게 하지도 않고,

진흙탕에 처박거나 어둠 속에서 도깨비불로 유도해서

길을 잃게 하지도 않을 거야. 하지만 그들은 모든

일로 나를 귀찮게 하지. 가끔 원숭이로 둔갑해서

찡그리며 나에게 재잘대고는 고슴도치로 둔갑하고   10

내가 맨발로 가는 길에 벌렁 자빠져 있다가

발을 내디디려고 할 때 바늘을 바로 세우거든. 어떤 때는

독사들이 나를 휘감게 하고는, 갈라진 혓바닥으로

쉿 소리를 내게 하여 나를 미치게 한단 말이야.

트링큘로 등장

봐라, 자, 보라구!

이리로 그의 정령 하나가 오는구나, 나를 혼내려는 게지 15

나무를 늦게 가져왔다고 말이야. 납작하게 엎드려야지.

어쩌면 나를 알아차리지 못할 수도 있거든.

트링퀼로 여기는 험한 날씨를 피할 덤불이나 관목이 한 그루도 없구나,

폭풍우가 또 한 차례 불어올 것 같은데, 난 바람결에

그 소리를 듣거든. 저 너머 먹구름, 그 너머 20

거대한 구름은 곧바로 술을 쏟아낼 지저분한

술자루 같구나. 방금 전처럼 천둥이 치면

내 머리를 어디에 감출 데가 없을 거야.

저 너머 구름은 양동이채로 퍼부을 차례란 인데. 이건

도대체 뭐지? 사람인가 물고기인가? 죽었나? 살았나? 물고기야. 25

물고기 냄새가 나는데. 잡은 지 매우 오래된 물고기 냄새야.

일종의 소금에 절인 대구로 신선하지는 않아. 참 이상한

물고기구나. 내가 옛날에 그랬었듯이 영국에 있다면

이 물고기를 그려놓기만 해도 어떤 휴가를 온 바보라도

은화 한 잎 내놓지 않을 작자가 없을 게다. 이 괴물이라면 30

거기서 한 밑천 잡을 수 있었을 텐데 말이야. 절름발이

거지에게는 한 푼도 도와주지 않을 때도 죽은 인디언을

보려고 열 잎이나 내놓는 놈은 있거든! 사람처럼 다리가 있네!

지느러미는 팔 같고! 맹세코 온기가 있어! 이제는 생각을 35

바꿔야겠군. 그걸 고집할 수 없어. 이것은 물고기가 아니라

최근에 벼락을 맞은 섬사람이야.

(천둥소리) 저런, 폭풍이 다시 오는구나! 이 친구의

외투 아래로 기어들어가는 게 상책이겠다. 이 근처에
달리 숨을 데가 없으니. 딱한 상황이라 이상한 친구와   40
동침하게 되는구나. 마지막 폭풍이 지나갈 때까지
여기에서 숨어야겠다.

(캘리반의 외투 밑으로 기어들어간다.)

스테파노가 노래를 부르며 등장하는데 손에는 술병을 들고 있다.

스테파노   *나는 다시는 바다로, 바다로 가지 않으리라*
                    여기 바닷가에서 죽으리라

이건 장례식에서 부르기에는 너무 상스러운 노래이군.   45
자, 여기 위로주가 있지.   (마신다.)
(노래한다.)

        선장이나 청소부도, 갑판장이나 나도
           포수나 그의 조수도
        맬,[11] 멕, 그리고 마리안과 마저리를 사랑했지만
           어느 누구도 케이트[12]를 좋아하지 않았다네.   50
        왜냐하면 날카로운 목소리를 가진 혀로
           선원들에게 소리쳤기 때문이네, 교수형이나 당해라!
        그녀는 타르나 역청 냄새[13]를 좋아하지 않았지만
        재단사는 그녀의 가려운 데를 긁어준다네.
        그러니 사내들이여, 바다로 가세, 그녀를 교수대로! 55

이것도 좀 상스럽군. 하지만 여기 내 위로주가 있지. (마신다.)

캘리반 나를 괴롭히지 말라고. 아이구!

스테파노 무슨 일이지? 여기 악마가 있나?

야만인과 인디언을 이용해서 나를 놀리겠다는 거야?
내가 가까스로 익사를 당하지 않은 것은 지금 네놈의   60
네 다리를 겁내려는 것은 아니지. 이런 말이 있어.
네 다리로 걷는다 해도 정상적인 인간이라면 저놈에게
질 수 없다는 거야. 스테파노가 콧구멍으로 숨을 쉬는 한
그게 다시 옳다는 걸 보여줄 거야.

캘리반 정령 놈이 날 괴롭히네. 아이쿠!   65

스테파노 이놈은 네 발이 달린 이 섬의 괴물인 모양인데,
내가 보기에는, 학질이 걸렸나보다. 도대체 이 악마가
어디서 우리말을 배웠을까? 내가 저 놈에게 학질을 고칠
약을 주어야겠다. 저 놈을 치료해서 길들인 다음
나폴리로 데려가면 소가죽 신을   70
신는 황제에게도 좋은 선물이 될 수
있을 거야.

캘리반 제발 나 좀 성가시게 하지 말라구. 땔나무를 집으로
더 빨리 가져갈 테니까.

스테파노 이놈이 지금 발작을 일으켜서 말을 조리 있게 못   75
하는구나. 이놈은 내 술 맛 좀 보아야겠어. 전에 술을
전혀 마신 적이 없다면, 필경 발작을 멈출 수 있을 거야.
이놈의 병을 고쳐 길들이면 돈이 얼마가 들어도

지나칠 게 없을 거야. 이놈을 사려고 하는 작자는
값을 치러야겠지, 그것도 상당히 말이야.   80

(그의 어깨를 붙잡는다.)

캘리반 나를 해치려는 짓을 아직 그리 심하진 않지만 조만간 시작하겠지.
네가 떨고 있는 것만 봐도 알 수 있어. 이제 프로스페로가
네게 마술을 걸겠지.

스테파노 이제 이리 와서 입을 벌려봐라. 네가 말문을 열게 해줄
게 여기 있단다, 고양이 놈아. 입을 벌리라니까.   85
이게 네 놈이 발발 떠는 걸 떨쳐내게 해줄 거야. 장담하는데,
아주 완벽하게 말이야. (캘리반이 마신다.) 네 놈은 누가 친구인지
분간도 할 수 없지. 입을 다시 벌리라니까.

트링퀼로 목소리는 누군지 알겠어. 틀림없이 . . . 그런데 그자는
익사했는데. 그럼 저건 악마야. . . . 오 나를 지켜주소서!   90

스테파노 다리가 넷에다가 목소리가 둘이라. 참 묘한 괴물이구나!
앞의 목소리는 친구에 대해 우호적인데, 뒤의 것은 험담에
중상모략이거든. 이 병의 술을 다 써서 그 놈을 낫게
할 수 있다면 그 학질을 치료해야지. 자, 옳지 됐다!   95
너의 다른 쪽 입에도 술을 좀 부어주어야겠다.

트링퀼로 스테파노!

스테파노 네 놈의 다른 입이 내 이름을 부른다고? 구해주십쇼, 제발!
이놈은 악마야, 괴물이 아니라구. 떠나야겠어.
난 악마를 막을 구할 긴 스푼[14]이 없거든.   100

트링퀼로 스테파노! 자네가 스테파노라면 내 몸에 손을 대고

말을 해보게. 난 트링퀼로이니, 두려워 말라구,

진짜 친구 트링퀼로라니까.

스테파노   자네가 정말 트링퀼로라면 이리 오게, 짧은 쪽 다리를

잡아당겨볼 테니까. 트링퀼로의 다리라면 이것이겠지.   105

자네 정말 트링퀼로구먼! 도대체 자네가 어떻게

달의 자식인 괴물의 소생이 되었나? 이놈이 트링퀼로

자네를 밖으로 내지를 수가 있다구?

트링퀼로   난 저 놈이 벼락에 맞아 죽은 줄 알았지. 헌데, 스테파노,

자네는 익사하지 않았었나? 이제 자네가 물에 빠져죽은   110

유령이 아니길 바라지만. 폭풍은 다 지나갔는가?

난 폭풍이 무서워 이 죽은 괴물의 외투 밑으로

숨었지. 스테파노, 자네 정말 살아있는 건가?

오, 스테파노, 나폴리 사람 둘은 살아있구먼!

제발 내 주위를 빙빙 돌지 말게. 내 속이   115

울렁거리네.

캘리반   (방백) 그들이 정령이 아니라면 대단한 분들인데.

놀라운 신이라 천상의 술을 지니고 있거든.

그 앞에 복종해야겠구나.   (무릎을 꿇는다.)

스테파노   자네는 어떻게 살아남았나? 어떻게 여기에 왔지?   120

이 술병에 걸고 맹세하게. 어떻게 여기에 왔냐구.

난 술동을 타고 탈출했네, 선원들이 배 밖으로

내던져준 통말일세, 이 술병을 두고 맹세하지. 이것은

내가 손수 나무껍질로 만든 거지, 해변으로 밀려온

이후로 말이야.   125

캘리반 맹세하죠, 그 술병에 걸고. 귀하의 충복이 되겠소.

그 술은 이 세상 것이 아니니까요.

스테파노 자, 맹세하게, 그리고 어떻게 살아남았는지 말하게.

트링큘로 해변으로 헤엄을 쳤지, 이 사람아, 오리처럼 말이야.

난 오리처럼 헤엄을 칠 수 있다구, 맹세하지.   130

스테파노 자, 성경에 입을 맞추게. 자네가 오리처럼 수영을 할 수

있다하더라도 자네는 거위처럼 생겼다구.

트링큘로 오, 스테파노, 이거 좀 더 있나?

스테파노 한통 가득 있네, 이 사람아. 내 저장고는 해변 가까이에 있는

바위 속에 있는데, 거기에 술을 숨겨놓았지. 어때, 괴물아,   135

네 학질은 어떠냐구?

캘리반 당신은 하늘에서 내려오신 분이 아니시오?

스테파노 달에서 내려왔지, 확실히 말해두지만. 옛날 옛적에 달에서 살던

사람이 바로 나란 말이다.

캘리반 달 속에 당신을 본 적이 있사오며, 당신을 숭배하지요.   140

제 여인이 당신과 개, 그리고 숲을 보여준 적이 있다구요.

스테파노 자, 그것에 대해 맹세해라, 성경에 입을 맞추어서. 거기에

새로운 술로 가득 채워주겠노라, 맹세하라.   (캘리반 마신다.)

트링큘로 밝은 빛에서 보니 아주 천박한 괴물이구나.

내가 이놈을 겁냈단 말이야? 아주 약해빠진 괴물같으니라구!   145

달 속에 있는 사람이라고! 너무나 잘 속아 넘어가는 괴물이야!

정말 잘도 퍼마시네, 괴물이야!

캘리반 섬의 비옥한 곳을 모두 보여드리겠소. 그리고

당신의 발에 입을 맞추겠소. 제발 내 신이 되어주쇼.

트링큘로 세상에, 참으로 믿을 수 없는 주정뱅이 괴물이구먼!　　150

신이 잠들면 그 술병을 훔칠 놈이야.

캘리반 발에 입을 맞추겠소. 당신 신하가 되겠다고 맹세하겠단 말이오.

스테파노 어서, 자, 무릎 꿇고 맹세해라.

　　　　　　　　　(캘리반이 트링큘로에게 등을 돌리고 꿇어앉는다.)

트링큘로 이 강아지 대가리 같은 멍청한 괴물을 보자니

포복절도하겠구나. 참으로 비천한 괴물아!　　155

저 놈을 두들겨주고 싶다만, ―

스테파노 자, 입 맞춰라.

트링큘로 저 형편없는 괴물이 취하지 않았다면 말이야. 지겨운

괴물 같으니!

캘리반 당신께 가장 좋은 샘을 안내하쇼. 열매도 따드리겠소.　　160

물고기도 잡아드리고 뗄나무도 많이 드리쇼.

내가 모시는 폭군놈은 염병이나 걸려라!

더 이상 그 작자에게 나무도 해주지 않고 당신을 따르리다.

당신은 놀라운 분이십니다.

트링큘로 엄청나게 우스꽝스러운 괴물이로군, 형편없는 주정뱅이를　　165

숭배하다니!

캘리반 제발 돌능금이 자라는 곳으로 안내하게 해주십쇼.

긴 손톱으로 땅콩을 파드리겠으며,

어치 둥지도 보여드리고 영리한 원숭이를　　170

잡는 방법도 가르쳐드리죠. 개암이 주렁주렁

열려있는 곳으로 모시고 가고 가끔 바위에서

어린 갈매기 새끼도 잡아드리겠소. 저랑 같이 가시겠소?

스테파노 자, 더 이상 말하지 말고 안내를 해다오.

트링퀼로, 왕과 우리 일행이 모두 익사하고 말았으니,

우리가 이곳을 차지하세. 여기를 말이야. 자, 술병을   175

들어라. 내 친구 트링퀼로, 조만간 다시 술병을

채우겠네.

캘리반 (술에 취해 노래한다.)

잘 있으시오, 주인님, 안녕, 안녕히!

트링퀼로 으르렁대는 괴물아, 술 취한 괴물아!

캘리반 더 이상 물막이는 없어, 고기를 잡으려고   180

불을 땔 나무도 하지 않고

아무리 요구해도

더 이상 나무그릇도 닦지 않고 접시도 씻지 않겠네

밴, 밴, 캐 캘리반은

새 주인을 모셨으니─새 하인을 구하시오.   185

자유다, 축제일! 축제일이야! 자유야, 자유,

축제일이야, 자유라구!

스테파노 아 멋진 괴물이로구나! 길을 안내하라.

3막

1장

프로스페로의 동굴 앞

퍼디난드가 통나무를 하나 둘러맨 채 등장[15]

퍼디난드 어떤 오락은 힘들기도 하지만, 그 노고는
　　　　즐거움이 함께 하면 힘들지 않거든. 어떤 천한 것도
　　　　고상하게 행할 수 있고, 가장 형편없는 일도
　　　　위대한 결과를 낳을 수 있어. 이 비천한 일은
　　　　역겨울 만큼 힘이 들지만, 내가 모시는 아가씨는
　　　　죽도록 힘든 일도 생기가 나게 하고,　　　　　　　　　5
　　　　노고에 즐거움을 불어 넣어주는구나. 오, 그녀는
　　　　심통을 부리는 아버지보다 열배나 상냥하지만,
　　　　그는 가혹하기 짝이 없어. 그의 엄한 명령으로
　　　　수천 개의 통나무를 날라서 쌓아야 하는구나.
　　　　상냥한 아가씨는 내가 일하는 것을 볼 때마다 울며 말하는데,　10
　　　　고귀한 신분이 그런 천한 일을 한 적이 없다고 하네.
　　　　해야 할 일을 깜박 잊고 있었군. 이런 달콤한 생각들이
　　　　힘든 일도 활기 있게 하고 그렇게 할 때
　　　　가장 열심히 일하게 되는구나.

　　　　미란다 등장: 프로스페로는 보이지 않게 떨어져 있다.

미란다   저런, 제발 부탁하는데,   15

그렇게 힘들게 일하지 마세요. 당신이 쌓도록 명을 받은

저 통나무들을 번개로 불태워버렸으면 좋겠어요!

제발 내려놓고 쉬세요. 이것들은 불에 탈 때

당신을 괴롭힌 죄로 눈물을 흘리게 될 거예요. 아버님께서는

연구하시느라 정신이 없으세요. 제발 이제 쉬세요.   20

적어도 세 시간 동안은 안심해도 돼요.

퍼디난드   아, 참으로 귀한 아가씨,

내가 마땅히 해야 할 일을 마치기 전에

해가 질 것 같소이다.

미란다   당신이 앉아계시면,

그동안 제가 통나무를 나르겠어요. 제발 그걸 제게 주세요,

제가 날라다 쌓아 올리겠어요.

퍼디난드   아닙니다, 귀하신 분,   25

차라리 내 근육이 찢어지고 등이 부서지는 게 낳겠소.

내가 게으름을 피우며 앉아있으면서 당신이 이렇게

천한 일을 하도록 하느니 말이오.

미란다   그 일이 당신께 어울리는 만큼

제게도 괜찮을 겁니다. 그리고 저는 훨씬 쉽게 그 일을

할 수 있을 거예요. 왜냐하면 당신은 어쩔 수 없어   30

하는 일이지만 저는 좋아서 하는 일이거든요.

프로스페로   가련한 것, 네가 사랑에 빠졌구나,

이렇게 찾아온 걸 보니 말이다.

미란다	당신은 피곤해 보이세요.
퍼디난드	아니오, 고귀한 아가씨. 당신이 곁에 있으면 밤도 내게는

상쾌한 아침과 같소. 아가씨에게 부탁하고 싶은 것은―

내가 기도할 때 항상 넣고 싶어서인데,   35

당신의 이름은 뭐죠?

미란다   미란다예요. 오, 아버님,

이렇게 말하다니, 아버님의 분부를 어기고 말았군요!

퍼디난드   놀랍소, 미란다라!

참으로 최고로 경이로운 이름이오! 세상에서

가장 값진 보배요! 나는 수많은 여인들을   40

찬탄의 시선으로 본 적이 있으며, 그들의 조화로운

말들이 수없이 내 귀를 사로잡은 적이 있소. 여러 여인들을

많은 미덕으로 연모하기도 하였소. 하지만 누구도

온 영혼을 다해 사랑한 적이 없으며, 한 여인의

결점이 그녀의 가장 고귀한 미덕과 다투어 아무   45

쓸모없이 만든 적은 없었어요. 그러나 아가씨, 당신은

너무 완벽하여 견줄 여인이 없으니 모든 여인 중에서

가장 훌륭한 여인이오!

미란다   제가 알고 있는 여성은

한 사람도 없답니다. 거울에 비친 제 얼굴 이외에는

아무도 기억하지 못해요. 멋진 친구인 당신과   50

아버님밖에는 어느 남자도 본 적이 없고요.

다른 곳의 남자들이 어떤 모습인지 알지

못합니다. 저의 귀한 보석인 순결을 걸고,　　(머뭇거리며)

당신 말고 사귀고 싶은 사람이 없으며,

당신밖에는 어떤 모습도 상상할 수 없으니까요.　　55

하지만 제가 너무 무례하게 지껄였나 봐요,

아버님의 훈계를 말을 많이 하느라

잊고 있었네요.

퍼디난드　　　　　　　　본래 나는,

왕자의 신분이오, 미란다. 생각해보면, 왕일 수 있겠지,　　60

그렇지 않길 바라지만! 난 입가에 쇠파리가

붕붕대는 것보다 이 통나무 노역이

더 참기 어렵소. 내 영혼의 소리를 들어보시오.

내가 당신을 처음 만나던 순간, 내 마음은

당신에게 봉사하고자 날아갔소. 그리고 거기서　　65

노예로 살고 싶었어요. 그리고 당신을 위해서라면

언제까지라도 통나무 일꾼이 되겠소.

미란다　　　　　　　　저를 사랑하시나요?

퍼디난드　오, 하늘이여, 대지여, 이 말에 증인이 되어주시옵소서.

제가 진실을 말하고 있다면 내가 하는 말이

행복한 결말이 나도록 축복해주시고, 거짓이라면

제게 올 행운도 불운으로 바꾸어 주소서.　　70

나는 세상의 어떤 한계도 뛰어넘어 당신을

사랑하고 아끼며 존경하오.

미란다　　　　　　　　저는 바보예요,

기뻐해야 할 일에 눈물을 흘리다니.

프로스페로   참으로 보기 드문 두 연인의

아름다운 만남이구나! 하늘이시여, 그들 사이에 싹트는   75

사랑에 은총의 비를 내리소서!

퍼디난드   왜 우십니까?

미란다 저는 가치가 없는 존재라 주고 싶은 것도

감히 드리지 못해요. 그리고 죽도록 가지고 싶은 것도

받으려고 할 수도 없죠. 하지만 이건 하찮은 거예요.

저의 사랑은 감추려고 애를 쓸수록   80

그 크기가 더욱 커지죠. 그러니 수줍어하는 기만이여!

저에게 솔직하고 성스러운 순결함으로 말하도록 하소서!

당신께서 저와 결혼해주신다면 당신의 아내가 되겠지만

그렇지 않다면 처녀로 죽을 것입니다. 당신의 반려가

되는 것을 거부하셔도 좋아요, 하지만 당신이 어떻게 하시든   85

당신의 시녀가 되겠어요.

퍼디난드 (무릎을 꿇으며)   고귀한 아가씨,

항상 이렇게 당신을 겸손하게 받들겠소.

미란다   그럼, 저의 신랑이 돼주시겠어요?

퍼디난드 그럼요, 구속자가 자유를 구하는

마음으로 기꺼이. 여기 내 손이 있소이다.

미란다 그리고 제 손도, 저의 마음을 담아서요. 자 이제 작별했다가   90

반시간이 지난 후에 만나죠.

퍼디난드   수없이 안녕히!

프로스페로 이 모든 행운을 갑자기 맞이한 그들보다

　　　　내가 기쁠 수 없겠지. 하지만 나도 이보다

　　　　기쁠 수 없구나. 마법 책을 읽으러 가야겠다.

　　　　왜냐하면 저녁시간 전에 내 계획에 관한　　　　　　　95

　　　　많은 일을 해야 하거든.　　　　　　　　　　(퇴장)

2장

섬의 다른 곳

캘리반, 스테파노, 트링쿨로 등장[16]

스테파노 그런 이야기는 하지 마라. 술통을 비워야 물을 마실 테니까.

그 전에는 물 한 방울도 안 마셔. 그러니 모두 마셔버려라.

이 괴물 하인 놈아, 나를 위해 건배해라.

트링쿨로 괴물 하인 놈아! 이 섬의 기형아야! 이 섬에는

다섯 명밖에 없고, 그 중에 우리가 셋이야.   5

다른 두 놈도 머리가 우리와 같다면 나라가 절단이 나겠다.[17]

스테파노 마셔라, 괴물 하인 놈아, 내가 명령할 때 말이야.

네 눈은 거의 머리통에 붙어있구나.

트링쿨로 눈이 달리 어디에 붙어있나? 저 놈 꼬리에 눈이 붙어있으면,

정말 멋있는 괴물이 될 텐데 말이야.   10

스테파노 내 부하 괴물 놈은 혓바닥이 술통에 빠져 익사할 지경이야.

나로 말하자면, 바다도 익사시킬 수 없었지. 해변에 닿기까지

약 삼십오 리그나 헤엄을 쳤단 말씀이야. 태양신을 두고

말하건 데, 넌 내 부관으로 임명하겠노라, 괴물아,

아니면 기수로 말이야.   15

트링쿨로 자네가 괜찮다면, 부관으로 하게나. 기수는 아니야.

스테파노 우리는 결코 달리지 않아, 괴물 씨.

트링퀼로 걷지도 못해. 개처럼 눕기나 할까. 그리고 아무
　　　　　말도 못하고 말이야.

스테파노 괴물아. 네가 정상적인 괴물이라면 일생을 두고　　　　　　20
　　　　　한번이라도 말 좀 해봐라.

캘리반 안녕하십니까, 나리. 당신의 구두를 핥게 해주십시오.
　　　　　그자는 섬기지 않겠소, 그는 용기가 없거든요.

트링퀼로 거짓말이야, 무지한 괴물아. 나는 순경하고도
　　　　　맞붙을 준비가 되어 있거든. 너 주정뱅이 물고기　　　　25
　　　　　같은 놈아, 엄청나게 마시고도 나만큼 말짱한
　　　　　비겁장이가 있었느냐? 반은 물고기이고 반은 괴물인
　　　　　네놈이 괴상한 거짓말을 할 테냐?

캘리반 보세요, 얼마나 그가 나를 모욕하는가를! 그냥 두시렵니까, 나리?

트링퀼로 "나리"라고 했나? 괴물이 타고난 바보짓까지　　　　　30
　　　　　하는구먼!

캘리반 보세요, 봐, 또 다시! 그를 물어뜯어 죽여 버리세요, 제발.

스테파노 트링퀼로, 공손함을 배워라. 네놈이 항명자로 밝혀지면
　　　　　바로 나무에 목을 매게 되느니라! 내 하인인 괴물이
　　　　　모욕을 당하지 않게 하겠노라.　　　　　　　　　　　35

캘리반 감사합니다, 고매하신 나리. 제가 당신께 드린 청원에
　　　　　기꺼이 다시 귀를 기울여 주시겠습니까?

스테파노 그렇고말고. 무릎 꿇고 다시 되풀이 해봐라. 나는 서있고,
　　　　　트링퀼로도 서있을 테니까. (캘리반이 무릎을 꿇고 스테파노와 트링퀼로는

비척거리며 일어난다.)¹⁸

에어리얼이 보이지 않은 상태로 등장

캘리반 제가 전에 말씀드린 바와 같이, 저는 폭군인 마법사에게　　40
　　매여 있는데, 그자는 마법을 이용해서 저에게서 이 섬을
　　탈취하고 말았소.

에어리엘 거짓말이야.

캘리반 (트링큘로에게 몸을 돌리며)
　　"거짓말이야"라고, 이 광대 같은 원숭이, 바로 너야!
　　용감하신 나리께서 네 놈을 박살나게 할 거야!　　45
　　난 거짓말 한 적 없어.

스테파노 트링큘로, 이 자가 말하는 것을 더 이상 훼방한다면,
　　이 손으로 네 놈 이빨을 몇 개 뽑아버릴 거야.

트링큘로 왜 그래, 난 아무 말도 안했는데.

스테파노 그럼 입 닥쳐, 그만둬. (캘리반에게) 계속하게.　　50

캘리반 말하자면, 마법으로 그자가 섬을 탈취했다는 거요.
　　나한테서 빼앗아 갔다니까요. 만약 위대하신 주인님께서
　　그에게 복수를 해주신다면, 당신께서는 과감하게 처리하시겠지만,
　　이 자는 그러지 못할 거요.

스테파노 그건 틀림없어.　　55

캘리반 나리께서 섬의 주인이 되시고, 저는 당신을 섬기겠소.

스테파노 이제 이걸 어떻게 하겠다는 거냐? 네가 나를 그 일당에게
　　데려가겠다는 것이냐?

캘리반 네, 그렇습니다, 주인님. 그가 자는 동안 안내해서

그 머리통에 못을 박을 수 있도록 하겠소.   60

에어리엘 거짓말이야, 넌 할 수 없어.

캘리반 이런 얼룩무늬[19] 옷을 입은 광대 같은 놈! 넌 상스런 바보야!

위대하신 나리, 탄원 드리는데, 저 자를 때려 주시고,

술병을 빼앗아 버리쇼. 술병이 없어지면,

저놈은 소금물밖에 마실 수 없겠죠. 저자에게는   65

담수가 있는 곳을 가르쳐주지 않을 테니까요.

스테파노 트링퀼로, 더 이상 위험한 상황으로 가지마라. 괴물놈의

말을 한 마디라도 가로막으면, 바로 이 손으로

자비를 모두 내버리고, 네 놈을 대구포로 만들어

버릴 테다.   70

트링퀼로 아니, 내가 뭘 했다는 거야? 난 아무 말도 안했다고. 더 멀리

가야지.

스테파노 그가 거짓말을 했다는 데 안했다고?

에어리엘 거짓말이야.

스테파노 내가 거짓말을 했다고? 한 대 맞아봐라. (그를 때린다.) 이게 좋으면

거짓말을 했다고 또 다시 지껄여봐라.   75

트링퀼로 거짓말 했다고 한 적이 없어. 정신이 나갔구먼, 또

들었다고? 염병할 놈의 술병! 여기에 술을 담아서

마셨기 때문이야. 자네 괴물 녀석, 염병이나 걸려버려라,

그리고 악마가 자네 손가락을 잘라서 가버려라!

캘리반 하, 하, 하!   80

스테파노 자, 네 이야기를 계속해라. 제발 더 멀리 떨어져

있으라고. (트링퀼로를 위협한다.)

캘리반 저 자를 실컷 두들겨 주세요. 조금 후에

나도 그를 패겠습니다.

스테파노 떨어져 있으라니까, 어서 계속해봐.

캘리반 자, 말씀드린 대로, 그는 오후에 낮잠을 자는 것이   85

습관이죠. 그 때 그의 머리를 부수고는

먼저 마법 책을 뺏거나 통나무로 그의 두개골을

내리칠 수도 있고, 뾰쪽한 막대기로 배를 찌르거나,

칼로 숨통을 끊어버릴 수도 있어요. 유념할 점은

먼저 그의 마법 책을 차지해야 한다는 거죠. 그게 없으면   90

그는 무능한 바보일 뿐이며, 부려먹을 정령도

없게 되죠. 그들은 모두 그를 깊게

증오하니까. 그의 책만 태워버리세요.

그는 근사한 가재도구를 가졌는데, 그가 그렇게 부르죠.

집을 갖게 되면 그가 그것으로 꾸미겠다나요.   95

그리고 심사숙고해야할 점은 미녀인 그의 딸이오.

그는 스스로 천하절색[20]이라고 부르죠. 저는 여자라고는

어머니 시코랙스와 그녀밖에 없어요.

하지만 그녀의 미모는 시코랙스를 훨씬 능가해서   100

천지 차이라고 할 수 있으니까요.

스테파노 그렇게 멋진 처녀란 말이냐?

캘리반 예, 주인님. 그녀는 당신의 잠자리에 적합할 겁니다, 보증하죠.

그리고 잘생긴 후손을 낳아줄 거라구요.

스테파노 괴물아, 내가 그놈을 처치하겠노라. 그의 딸과 나는

왕과 왕비가 될 것이다. 섬의 국왕과 왕비를 보호하소서.   105

그리고 트링퀼로와 너는 총독이 될 것이다. 트링퀼로 이 구상이

어떤가?

트링퀼로 아주 멋지군 그래.

스테파노 손을 이리 주게. 자네를 때려서 미안하군. 그러나

말 좀 공손하게 하게나.   110

캘리반 반시간만 있으면 그자가 잠들 거요.

그 때 그를 없애시겠소?

스테파노   그래, 내 명예를 걸고 하겠다.

에어리엘 주인님께 이 일을 말씀드려야겠군.

캘리반 당신의 말씀을 듣고 보니 기쁘기 짝이 없소. 기쁨이 넘친다구요.

같이 즐겨요. 주인님께서 좀 전에 가르쳐주셨던   115

돌림노래를 불러주시겠어요?

스테파노 괴물아, 네 놈이 부탁한 대로야. 나는 사리를 따져서 좋으면

뭐든지 좋다. 자, 이리 오게 트링퀼로, 노래하자구. (노래 부른다.)

놀려줘, 그리고 조롱해,

조소해 그리고 놀려줘,   120

생각은 자유야.

캘리반 가락이 안 맞는데요.

             (에어리얼이 소고와 피리로 가락을 연주한다.)

스테파노 저 가락은 뭐지?

트링큘로   이건 우리들의 돌림노래 가락인데, 사람은 보이지 않고

소리만 들리는군.   125

스테파노   네가 사람이라면 네 놈 형상대로 나타나거라.

네가 악마라면 네가 좋을 대로 하려무나.

트링큘로   오, 내 죄를 용서하소서.

스테파노   죽는 자는 빚이고 뭐고 없어진다구. 자, 네 놈에게 도전하지.

우리에게 자비를 내리소서!

캘리반   당신도 두렵소이까?   130

스테파노   아니다, 괴물아. 난 그렇지 않아.

캘리반   두려워하지 마십쇼. 이 섬은 갖가지 소리, 음향,

그리고 달콤한 노래로 가득 차 있지만 그것들은 즐거움을 주지

해로운 건 없죠.

종종 수많은 땡그렁 거리는 악기가 내 귓가에서   135

노래를 하죠. 그리고 어떤 때는 수많은 목소리가 들려와,

긴 잠에서 깨어났다가도 다시

잠들게 하지요. 그리고는 꿈을 꾸면서

구름이 열렸다가 보물들을 보여주며

내게 쏟아질듯 하다가 깨어나면   140

다시 꿈을 꾸려고 울부짖었다니까요.

스테파노   이 섬은 멋진 왕국이 될 거야, 공짜로

음악도 즐길 수 있다니 밀이야.

캘리반   프로스페로를 없애면 그렇다는 거죠.

스테파노   곧 그리 될 것이다. 네 이야기를 기억하고 있거든.   145

트링큘로 소리가 멀어지고 있는데, 따라가자고. 우리 일은

　　　　나중에 하고.

스테파노 안내해라, 괴물아. 따라갈 테니. 소고를 치는 자를

　　　　볼 수 있었으면 좋겠는데, 연주를 잘하는구나.

트링큘로 (캘리반에게) 갈 테냐? 나도 따라가겠네, 스테파노. (퇴장)

3장

섬의 다른 곳

알론소, 세바스챤, 안토니오, 곤잘로, 에이드리언, 프란시스코 등 등장

곤잘로 아이고, 더 이상 못가겠습니다, 폐하.

늙어빠진 뼈가 쑤시는 군요. 여기는 정말 미로입니다,

길로 곧게 뻗어있기도 하고 구불거리기도 하면서 말입니다,

허락하신다면 쉬어가야겠습니다.

알론조 노공, 그대를 어찌 탓할 수 있겠소,

짐도 피곤해서 정신이 희미해져서

죽을 지경이오. 앉아서 쉬어갑시다.   5

　　　　　(알론소, 곤잘로, 에이드리언, 프란시스코가 앉는다.)

지금부터는 희망을 버리고 더 이상

헛된 꿈을 가지지 않겠소. 우리가 찾아 헤매는

그 애는 익사한 게요. 바다는 헛되게도 그를 찾아

육지를 뒤지는 것을 조롱하고 있소. 자, 그를 가도록 놔둡시다. 10

　　　　(안토니오는 세바스챤과 함께 다른 자들로부터 떨어져 서있다.)

안토니오 (세바스챤에게 방백) 왕께서 희망을 버리다니 참 잘 됐소이다.

우리가 한번 실패했다고 해서 실행을 결심했던 것을

포기하면 안 됩니다.[21]

세바스챤   (안토니오에게 방백) 다음 기회는

완벽하게 잡아봅시다.

안토니오   (세바스챤에게 방백) 오늘밤 실행합시다.

왜냐하면 지금 그들은 노독으로 기진맥진하여   15

생기가 있을 때만큼 경계를 하지

안할 테니까요.

세바스챤   (안토니오에게 방백) 자, 오늘밤이오. 더 이상 말하지 맙시다.

엄숙하고 기이한 음악: 프로스페로가 눈에 보이지 않게
상층에 서있다.

알론조 이게 무슨 음악소리요? 여러분들, 들어보시오!

곤잘로 경이롭고 감미로운 음악입니다!

여러 기이한 형체들이 잔칫상을 들고 나와서 점잖게
인사를 하며 춤을 춘다. 그리고 국왕에게
식사하도록 청하고는 떠난다.[22]

알론조 하늘이시여, 선한 수호신을 보내시어 지켜주소서! 저것들은 무엇

이냐?   20

세바스챤 살아 있는 꼭두각시입니다. 지금 저의 생각으로는

일각수[23]가 있거나 아라비아에 불사조[24] 둥지가 있는

나무가 하나 있는데, 불사조 한 마리가 그곳을

통치하고 있는 것이 틀림없습니다.

안토니오   둘 다 믿어야겠소.

믿기 어려운 어떤 이야기를 들어도 그게 사실이라고　　　　25

단언해야 할 것 같소. 국내의 바보들이 비난해도

여행자들이 결코 거짓말을 한 게 아니었습니다.

곤잘로　　　　　　　　　제가 나폴리에서 지금 이런

이야기를 들려준다면 제 말을 믿겠습니까?

만약에 제가 이런 섬사람들을 보았다고 말한다면,

이것들이 분명 섬사람일 터이니 말입니다만,　　　　30

그들이 괴상한 모습을 하고 있으니까요, 하지만 보세요,

그들의 몸가짐은 여러분들이 발견할 수 있는

수많은 아니 거의 어느 누구 보다도

더 점잖고 친절합니다 그려.

프로스페로　　　　　　(방백) 존경스러운 분,

말씀을 잘 하셨습니다. 왜냐하면 거기 몇 사람은　　　35

악마보다 더 나쁜 자들이기 때문이오.

알론조　　　　　　　　경이롭기 짝이 없소.

그 형체들, 태도, 음악은 말로 표현하지는

않지만 대단한 무언의 대화를 하고 있었소.

프로스페로　　　　　　(방백) 칭찬은 떠날 때나 하시지.

프랜시스코　그것들이 신기하게도 사라지고 말았습니다.

세바스챤　　　　　　　상관이 없소.　　　　40

그늘이 음식을 남기고 갔으니 말이오. 시장했었는데,

여기 있는 것들을 드시겠습니까?

알론조　난 안 먹겠소.

곤잘로 사실, 폐하, 두려울 게 없사옵니다. 어렸을 때

목에 살주머니를 달고 다니는 황소처럼

목에 살덩어리가 있는 산사람들이 존재한다는 것을   45

누가 믿으려하겠습니까? 또는 가슴에 머리가

달려 있다는 사람이 있다는 것을 말입니다?

이것들은 돌아오면 다섯 배로 돌려받도록 돈을 거는 여행자들도

사실이라고 보증해줄 수 있는 것들을 지금 발견한 것입니다.

알론조   나도 위험하더라도 먹겠소.

이게 종말이라 하더라도 상관이 없소. 내 절정기는   50

지나가버린 것 같으니 말이오. 나의 아우이자 공작이여,

위험하더라도 함께 먹읍시다.

                    (알론소, 세바스챤, 안토니오가 자리 잡고 앉는다.)

**천동과 번개, 에어리얼이 괴조 하피[25]의 모습으로 등장하여
식탁에서 날개를 퍼득거리자 기이하게도 다과상이 사라진다.**

에어리엘 너희 세 죄인들, 이 하계와 그 안에 있는 것들을

도구로 쓰는 운명의 여신이 삼켜도 결코 만족을 모르는 바다를

시켜서 너희들을 다시 토해내게 하여 아무도 살지 않는   55

이 섬에 오르게 했느니라. 너희들은 사람들과 함께

살아가기에 적합하지 않으니까. 내가 그대들을 미치게 하였던 거야,

                    (알론소, 세바스챤 등이 칼을 뽑는다.)

그런 광증으로 인한 만용으로 사람들은 스스로 목을 매거나

물에 빠져 죽게 되느니라.

(그들이 공격을 하려고 하지만 마법에 걸려 움직일 수 없다.)

　　　　너희 바보 놈들! 나와 내 동료들은　　　　　　　　60
운명의 여신 부하들이다. 네 칼을 단련시킨 원소들은
광풍을 해할 수도 없거니와 쓸데없이 물을 잘라보아도
여전히 아물어버려서 죽일 수도 없듯이 내 깃털의
한 자락도 없애지 못하리라. 내 동료 부하들은　　　　　65
불사신이니라. 설혹 너희가 해할 수 있다한들
너희 칼은 이제 너무 무거워 자신의 힘으로
들어 올릴 수도 없지. 그러나 잊지 말아라,
이건 그대들에 대한 나의 소임인데, 너희 셋은
훌륭한 프로스페로를 밀라노에서 축출하고
그와 무죄한 딸을 바다로 몰아내었으니, 그 죄 값을　　　70
치르게 된 것이니라. 모든 신들이 추악한 행위에 대해
늦기는 했지만 잊지 않고 있어서 바다와 해안을
화나게 했지, 맞아, 모든 만물들이 나서서
너희들을 시달리게 하리라. 알론소, 너의 아들은　　　　75
그분들이 체포하였으며, 다가오는 파멸을 나에게
통보하도록 하였어. 죽음보다 더 한 것이
당장도 올 수 있지만, 서서히 그대들과 그 행로에
매 걸음마다 찾아오리라. 그들의 분노로부터
그대들을 지키는 일은, 여기 이 황량한 섬에서　　　　　80
그들의 머리에 그것이 떨어질 수도 있지만, 진지한
자책과 꾸준하게 깨끗한 삶을 살아가는 것밖에 없노라.

그는 천둥 속으로 사라진다. 그리고는 부드러운 음악에
맞추어 그 형체들이 다시 등장하여 춤을 추고 조롱과 찡그린
표정으로 식탁을 들고 나간다.

프로스페로 오 나의 에어리얼, 넌 괴조 하피의 역할을

멋있게 해냈다. 그 연기는 숨이 막힐 지경이었어.

나의 지시사항에 대해서도 네가 말해야할 것 중에서   85

조금도 빼놓지 않았구나. 내 낮은 지위의 부하들도

놀라울 정도로 실감나고 집중하여 여러 임무를

수행하였어. 내 특별한 마법이 작용하여

나의 적들을 모두 광기에 사로잡히게

만들었구나. 그들은 이제 내 손안에 있어.   90

이 광기 속에 그들을 남겨놓고, 나는 젊은 퍼디난드를

찾아봐야겠다. 그들은 그가 물에 빠져 죽었다고

생각하지, 그와 나의 사랑하는 딸을 말이다.   (퇴장)

곤잘로 아 이런, 도대체 폐하께서는 왜 그렇게 멍하니

쳐다보고 계십니까?

알론조   망측한 일이구나, 망측한 일이야!   95

내 생각에 파도가 말을 하고 내게 얘기를 했단 말이다.

바람이 내게 노래하고 천둥도 그 깊고 무서운 목소리로

프로스페로라는 이름을 불렀거든. 그것이 낮은 소리로 내 죄를

 말했지.

그러므로 내 아들은 바다 밑 진흙 속에 묻혀있는 거요. 그래서 100

나는 수심측정용추[26]가 닿을 수 없는 깊은 곳까지 그를 찾아가서

그와 함께 거기 진흙탕이 되어 눕고 싶소.   (퇴장)

세바스챤   하지만 한 번에 악마 한명씩 덤비면

한 군단이라도 차례로 싸울 테다.

안토니오   나도 당신과 함께 하겠소.

(세바스챤과 안토니오 퇴장)

곤잘로 저 세분은 모두 절망한 나머지 정신이 없소. 그들의 커다란 죄가

마치 한참 시간이 지나야 효과가 나타나는 독약처럼   105

이제 그들의 영혼을 물어뜯기 시작하였어요. 탄원 드리는데,

무릎 관절이 훨씬 부드러운 분들이 그들을 재빨리 따라가서

광기로 인해 무슨 일을 저지를지 모르니

그러지 못하게 말려주시오.

에어리엘   따라갑시다, 어서.   (일동 퇴장)

4막

1장

프로스페로의 동굴 앞

프로스페로, 퍼디난드, 미란다 등장

프로스페로 내가 자네를 너무 심하게 벌하였다면

　　　　자네에 대한 보상은 보충이 된 것일세. 왜냐하면 내가

　　　　여기서 자네에게 내 인생의 삼분의 일 또는 내가 살아가는

　　　　목표를 주었기 때문이야. 그 아이를 다시 한 번

　　　　자네의 손에 맡기네. 모든 자네의 고통들은 자네의 사랑을　　　5

　　　　시험해본 것뿐일세. 그리고 자네는 경탄할 정도로

　　　　그 시험을 인내해냈어. 여기 하늘 앞에서

　　　　이 귀한 선물을 공인하고자 하네. 오 퍼디난드,

　　　　내가 딸애를 자랑한다고 비웃지 말게,

　　　　자네는 알게 될 걸세, 그 애는 모든 칭찬을 앞지를 테니　　　10

　　　　그것이 그 애 뒤에서 뒤처져 따라가게 된단 말일세.

퍼디난드　　　　　　　　　　　저는 그걸 믿겠습니다,

　　　　신탁에 대항해서라도 말입니다.

프로스페로 그러면 나의 선물로서, 그리고 자네 스스로 값지게 획득한

　　　　보상으로서, 내 딸을 가지게나. 하지만

　　　　만약에 모든 결혼식의 절차가 온전하고　　　15

성스러운 격식에 맞게 거행되기 전에

딸애의 처녀막을 파괴한다면,

이 결혼서약이 결실을 맺도록

달콤한 축복을 내려주지 않게 하겠네.

오히려 불임의 증오와 불쾌한 시선의 경멸과   20

불화를 신방에 들어가기를 꺼리게 할 정도로

뿌리게 할 걸세. 그러므로 명심하게,

결혼의 신 하이멘[27]의 등불이 밝혀줄 때까지 말일세.

퍼디난드   저의 소망은

지금과 같은 지극한 사랑으로 평온한 날들을

훌륭한 자식을 낳고 오랫동안 사는 것이오니,   25

아무리 어두운 동굴이든지, 가장 형편이 좋은 곳이든지

악한 천성이 주는 강한 유혹이 오더라도

나의 명예가 정욕으로 결코 녹아버려

결혼식 축복의 즐거움을 흐리게 하지 않도록

하겠습니다. 태양신 피버스의 군마가 지쳐 주저앉거나   30

밤이 하계에서 사슬에 묶일까를 생각하면서 말입니다.[28]

프로스페로   훌륭하게 말했네.

그렇다면 앉아서 딸애와 이야기를 나누게. 그 애는 자네의 것이니.

연인들은 떨어진 곳으로 가서 바위 의자에 함께 앉는다.
프로스페로는 그의 지팡이를 들어올린다.

자, 에어리얼아! 나의 부지런한 하인 에어리얼!

에어리얼 등장

에어리엘 주인님, 무슨 분부이십니까? 여기 왔나이다.

프로스페로 너와 네 부하 동료들은 전에 부여한 일들을 훌륭하게

완수하였다. 그런데 너희들을 또 다른 기묘한 마술을 위해

동원해야겠다. 가서 그 무리들을 데리고 오너라, 그들을

지휘할 힘을 네게 부여할 것이니, 여기로 오너라.

그들이 빨리 움직이도록 해라. 왜냐면 나는

이 두 젊은이들에게 내 마법의 가벼운 구경거리를   40

보여 주어야겠거든. 이것이 나의 약속이고

그들도 나에게서 기대하고 있기 때문이니라.

에어리엘   당장에 말입니까?

프로스페로 그래, 눈 깜짝할 사이야.

에어리엘 아직 "오라" "가라"라고 말하고

두 번 숨 쉬고 "그렇고 그래"라고 말하기 전에   45

각자가 발뒤꿈치를 들고 사뿐 사뿐 걸어서

얼굴에 괴상한 표정을 지으며 이리로 오지요.

저를 귀여워 해주실 거죠, 주인님? 아닌가요?

프로스페로 아주 예뻐하고말고. 귀여운 에어리얼. 내가 부를 때까지

가까이 오지 말거라.

에어리엘   네, 알겠습니다.   (퇴장)   50

프로스페로 (퍼디난드에게 몸을 돌리며)

약속을 잘 지키게. 사랑놀이에 너무

탐닉해서는 안 되네. 강한 맹세도 정욕의

96 태풍

불길에는 지푸라기에 불과하니. 더욱 자제력을 가지게.

그렇지 않으면 자네의 맹세도 작별일 뿐!

퍼디난드   보증합니다, 아버님,

내 마음에 쌓인 차가운 하얀 순결의 눈이   55

간장에서 일어나는 정욕의 불길을 식혀줄 겁니다.

프로스페로   좋아.

자, 오너라, 에어리얼아! 정령들을 부족하지 않게

충분히 데려와라, 나타나라, 빨리!

말은 하지 말고! 조용히 해라.   (부드러운 음악)

아이리스[29] 등장

아이어리스 풍요의 여신, 시어리즈여, 당신의 흘러넘치는 밭에는   60

밀과 호밀, 살갈퀴와 귀리, 그리고 완두콩이 자라고,

풀을 뜯어먹는 양떼가 자라는 풀이 무성한 산,

그들을 키울 건초식물이 빽빽하게 자란 평원,

물결에 패여 나뭇가지로 엮어 막아놓은 강둑이여,

축축한 사월이 당신의 명령을 받들고자 싸늘한   65

요정들에게 순결한 면류관을 만들어주려 치장했네,

그대의 금작화 숲에는 처녀에게 버림받아 실연한

총각들이 즐겨 찾으며, 그대의 잘 다듬은 포도원,

맑은 바람을 즐기는 황량하고 단단한 바위의 해변이여,

하늘의 여왕의 무지개여, 사자인 내가 그대에게 명하노니,   70

이들을 떠나서 여왕의 지고한 은총과 더불어

여기 잔디밭, 바로 이곳으로 나와서 놀자꾸나.

공작새들이 끄는 여왕의 수레가 빠르게 날아오는구나.

(주노 여신의 수레가 무대 위에 매달린 상태로 나타난다.)

풍요의 여신 시어리즈[30]여, 나와서 여왕을 맞이하시라.   75

시어리즈 등장

시어리즈 안녕하십니까, 쥬피터의 왕비께서 하명하신 일이면

거역한 적이 없는 형형색색의 사자여,

그대의 샛노란 날개로 내 꽃들에게

꿀 같은 이슬과 시원한 소나기를 뿌려주시고,

그대의 푸른 빛깔의 양끝으로 나의 울창한 숲과   80

벌거벗은 평야를 자랑스러운 대지에 풍성한 스카프로

왕관처럼 꾸며주는 무지개 여신이여, 그대의 여왕께서

무슨 일로 나를 여기, 잘 깎아놓은 잔디밭으로 부르셨나이까?

아이어리스 진정한 사랑의 서약을 축하하고,

축복받은 연인들에게 축하의 선물을 무한히   85

내려주기 위해서죠.

시어리즈   하늘의 활이시여, 말하소서.

비너스 여신이나 그의 아들 큐피드가, 당신이 알고 있듯이,

지금도 여왕을 모시고 있습니까? 그들이 음모를 꾸며,

음침한 지하세계의 신 디스[31]가 내 딸을 탈취하였기에,

그녀와 눈먼 아들과의 욕된 만남을 하지 않기로   90

나는 맹세하였습니다.

아이어리스   그녀를 만나게 될까

두려워하지 마십시오. 구름을 뚫고 파포스[32]로 가는 그 여신과

함께 비둘기 수레[33]를 끄는 그녀의 아들을 만났습니다.

여기서 그들은 이 남녀에게 방탕한 마법을 걸려고

생각했습니다만, 결혼의 신 하이멘의 횃불이 밝혀질 때까지,

동침을 하지 않기로 맹세하였기에, 허사가 되고 말았습니다.

군신 마르스의 농염한 정부는 다시 돌아갔으며,

그녀의 성마른 아들은 그의 화살을 꺾고 맹세하기를 더 이상

활을 쏘지 않고 참새들과 놀겠다고 하니 사랑의 신은   100

그만 두고 평범한 소년이 되겠다고 하였습니다.[34]

주노의 수레가 무대로 내려온다.

시어리즈   가장 높으신 여왕이시여,

위대하신 주노의 여신께서 오십니다. 차림새로 알 수 있지요.

주노 나의 누이, 풍요의 여신이여, 어떻게 지내느냐? 이 두 남녀를

축복하러 나와 함께 가자, 그들이 번성해지고

자식들이 장성하여 명예를 갖도록 말이다.   (그들이 노래한다.) 105

시어리즈가 주노와 같이 수레를 타고, 공중으로 올라가 무대 위로
떠다닌다. 그들은 노래를 부른다.

주노 명예, 부 그리고 결혼의 축복이

오래 오래 이어지고, 가문이 번창하여,

시간마다 즐거움이 언제나 그대들에게 있을지라!

주노가 노래로 그대들에게 축복하노라.

시어리즈 대지의 결실과 추수의 풍부로 110

곡간과 헛간은 비울 때가 없으리라

포도덩굴마다 주렁주렁 포도송이가 자라고,

과실나무 가지는 풍성한 과일로 휘어지고

추수가 아직 끝나기도 전에

봄이 찾아오리라! 115

굶주림과 결핍은 그대들을 피해가고

시어리스의 축복이 내리리라.

퍼디난드 이 장면이야말로 장엄하고

매혹적으로 조화롭습니다. 제가 감히

이들을 정령이라 해도 되겠습니까?

프로스페로 정령이지, 그들이 있어야할 곳에서 120

내 마법으로 불어낸 걸세, 지금의 내 환상을

보여주도록 말이야.

퍼디난드 여기에서 영원히 살게 해주십시오.

그렇게 드문 신통력과 지혜를 지니신 장인께서

이곳을 낙원으로 만드셨습니다.

주노와 시어리스가 속삭이더니 이이리스에게 심부름을 시킨다.

프로스페로 얘들아, 이제 조용히 해라!

주노와 시어리스가 심각하게 속삭인다. 125

다른 어떤 것이 있는 모양이다. 쉬, 조용히,

아니면 마법이 방해가 된단다.

아이어리스 꾸불꾸불한 개울에서 나이에드[35]라 불리는 너희 요정들아,

사초[36]잎관을 쓰고 영원히 늙지 않으리니,

잔물결이 이는 개울을 떠나 이 푸른 풀밭에 와서   130

부름에 답하여라. 주노여신께서 명하신다.

정결한 요정들이여, 와서 축복하여라.

진실한 사랑의 계약을, 너무 늦지 않게.

요정 약간 명 등장

팔월의 햇볕에 타고 지친 농부들이여,

밭이랑에서 나와 이리 와서 즐기세.   135

휴일로 삼아보세, 밀짚모자를 쓰고,

이 청순한 요정들과 모두 마주 잡고

농부의 춤을 추어보세.

몇 명의 초동들이 등장. 역할에 맞게 의상을 입고 요정들과 어울려
우아한 춤을 춘다. 끝나갈 무렵 프로스페로가 깜짝 놀라며 말을 한다.
그 후 기묘하고 음습하며 혼란된 소리가 나자 내키지 않으며 사라진다.

프로스페로 (방백) 짐승 같은 캘리반과 그의 공모자들이

더러운 음모를 꾸며 내 생명을 노리고 있다는 걸   140

깜빡 잊고 있었군. 그들이 음모를 시작할 시간이

거의 다 됐어. (요정들에게) 잘 했다! 물러가라,

이 정도면 됐어!

주노와 시어리스가 수레에 오르고 초동들도 퇴장한다.

퍼디난드 이건 이상한데요. 장인께서 무슨 일인지
열을 받아 화가 나신 듯합니다.

미란다 오늘날까지 저렇게 화를 내시는 걸
본 적이 없어요. 저토록 흐트러진 모습을 말입니다. 145

프로스페로 (퍼디난드에게)
자네 사위, 당황해 하는군,
마치 걱정스러운 모양이야. 유쾌한 마음을 가지게.
이제 잔치는 끝났네. 자네에게 미리 말했듯이
이 배우들은 모두 정령들인지라,
공기 속으로 녹아들어갔지, 공기 속으로 사라져버렸어. 150
그리고 실체가 없는 이 환영처럼
구름을 찌를 듯한 탑, 화려한 궁전,
장엄한 사원, 그리고 거대한 지구 그 자체,
그렇지, 거기에 살고 있는 모든 것도 사라질 거야,
이 실체 없는 행렬이 사라지듯이, 155
뜬 구름 자락 하나 남기지 않는단 말일세. 우리는 꿈같은
존재인지라, 우리들의 하잘 것 없는 인생은
잠으로 끝나게 되어있지. 자네, 난 지금 심약하여
마음이 산란한 상태야. 내 늙은 두뇌가 혼란스럽네.
나의 쇠약함에 대해 걱정하지 말게나. 160

자네가 원한다면 내 방으로 들어가

휴식을 취하게나. 난 한 두 바퀴 산책을 해야겠어,

두근거리는 마음을 진정할 수 있도록 말이야.

퍼디난드 · 미란다　　　　　　　마음 편히 가지세요.　　　(퇴장)

프로스페로　내가 생각하자마자 나타나거라, 고맙구나, 에어리얼, 오너라.

에어리얼 등장

에어리얼　저는 주인님이 생각만 하면 가까이 있습니다. 무슨 분부이십니까?

프로스페로　　　　　　　　　　　　　　　정령아,　165

우리는 캘리반을 처리할 준비를 해야겠다.

에어리얼　네, 주인님. 제가 시어리즈 역할을 맡았을 때,

주인님께 그걸 말씀드리려고 생각했었으나, 노여워 하실까봐

걱정했었습니다.

프로스페로　다시 말해라, 그 악당들을 어디에 두고 왔느냐?　　　170

에어리얼　말씀드렸듯이, 그들은 술에 취한 나머지 얼굴이 새빨갛고,

기운이 넘쳐 얼굴에 바람이 스친다고

공기를 치려들고, 땅이 그들의 발에

입을 맞춘다고 바닥을 차면서도, 항상

그들의 흉계를 꾸미고 있었죠. 그런데 제가 소고를 치자,　175

길들이지 않은 망아지처럼 음악을 냄새로 맡으려는 듯이,

귀를 쫑긋 세우고, 눈썹을 치켜뜨고,

코를 벌름거렸어요. 그래서 저는 그들의 귀에 마법을 걸어

송아지처럼 저의 어미소 울음소리를 따라오면서, 가시 돋은

찔레나무덤불, 날카로운 가시금작화, 가시투성이 숲과

가시덤불을 뚫고 오다 부드러운 그들의 정강이가 찔렸고,

마침내 주인님 동굴 너머에 있는 더러운 수초 속에 빠지도록

내버려두었답니다. 거기서 턱밑까지 잠겨 허우적거리니, 더러운

늪의 냄새가 그들의 발 냄새보다 더 코를 찔렀습니다.

프로스페로　　　　　　　잘했다, 예쁜 꼬마야.

넌 아직 모습을 드러내지 마라.

내 집안에서 보기에 그럴듯한 옷을 가져오너라.

그걸 미끼로 이 도둑놈들을 잡아보자.

에어리엘　　　　　　　　갑니다, 가요.　(퇴장)

프로스페로　악마야, 타고난 악마라구. 그놈 천성은

어떤 교육도 효과가 없구나. 그놈에게 내 수고를

인간적으로 베풀었건만, 모두가 허사야, 완전한 실패였어.　　190

나이가 들수록 그놈의 몸은 추악해지고, 마음도

사악해져버렸구나. 그놈들을 모두 괴롭혀서

울부짖게 만들어야겠다.

　　　　　에어리엘이 번쩍거리는 옷들을 들고 다시 등장

　　　　　　　자, 그것들을 참피나무에 걸어 놓아라,

　　　프로스페로와 에어리얼은 보이지 않게 무대에 남아있다.

　　　캘리반, 스테파노, 트링큘로가 완전히 젖은 채 등장.

캘리반 제발, 사뿐히 걸으세요, 눈 먼 두더지도 발자국 소리를

듣지 못하도록 말이에요. 이제 그의 동굴에 거의 다 왔다구요. 195

스테파노 괴물놈아, 네가 아무 해가 없다던 요정이

도깨비불처럼 우리를 이끌어 이렇게 골탕을

먹인단 말이냐.

트링퀼로 괴물아, 난 온통 말 오줌 냄새가 나서

내 코님이 대단히 진노하고 계신 중이다. 200

스테파노 내 코도 그래. 알겠느냐, 괴물아? 내가 너한테

심사가 뒤틀리면, 어떠한지 두고 봐라.

트링퀼로 넌 단지 한물간 괴물이 될 거야.

캘리반 주인님, 아직 저를 잘 봐주세요.

좀 참으시면, 제가 주인님께 바칠 진상품은 205

이런 고생은 안중에도 없도록 만들 겁니다. 그러므로

조용히 하세요. 만물이 한밤중처럼 잠잠하네요.

트링퀼로 맞다, 하지만 술병을 웅덩이에서 잃어버리다니,

스테파노 그건 수치이자 불명예야, 괴물아,

엄청난 손실이란 말이다. 210

트링퀼로 그건 내가 흠뻑 젖은 것보다 더한 상황이야. 그런데

이게 해를 끼치지 않는 요정이란 말이지, 괴물아.

스테파노 난 술병을 다시 찾아와야겠어, 그 일로 귀 너머까지

물에 잠긴다고 하더라도.

캘리반 제발, 나의 왕이시여, 조용히 하세요. 여길 보시라고요, 215

이곳이 동굴의 입구입니다. 소리를 내지 말고 들어가세요.

이 섬을 영원히 당신의 것으로 만들어버릴

멋진 사악한 짓을 해치우시라고요. 그러면 나 캘리반은

당신의 발을 핥아주는 하인이 될 겁니다.

스테파노 너의 손을 다오. 난 피비린 내나는 생각을 실행하도록   220

시작하겠노라.

트링큘로 오 스테파노 왕이여! 오 고귀한 분이여! 오 스테파노 귀공이여!

여기 얼마나 멋진 당신을 위한 의상실입니까!

캘리반 그건 그냥 내버려둬, 바보야. 그건 쓰레기 넝마조각일 뿐이야.

트링큘로 오 호, 괴물아! 우리도 헌옷가게에 있어야 할 것쯤은   225

구별할 수 있어. 오 스테파노 왕이여!

(그는 나무에서 옷 한 벌을 벗겨 입는다.)

스테파노 그 옷 당장 벗어라, 트링큘로, 이 손으로 맹세하는데, 그 옷은

내가 입어야겠어.

트링큘로 폐하께서 그걸 입으십시오.   (그는 옷을 넘겨준다.)

캘리반 수종이나 걸려 죽을 이 바보야! 그런 골치 아픈 것에   230

빠져서 어떻게 하겠다는 거요? 그건 그냥 두고

먼저 죽이자고요. 그가 잠에서 깨면,

발끝에서 정수리까지 우리 살갗을 꼬집어서

괴상한 흉물로 만들어 놓거든요.

스테파노 조용히 해, 괴물아. 참피나무 아가씨, 이건 내 조끼가   235

아닌가요? 지금 조끼는 참피나무 아래에 있고, 자,

조끼야, 넌 머리가 다 빠져서 대머리 조끼가

되었구나.

트링큘로 그렇게 하지요, 좋습니다. 폐하께서 허락해주시면

법도에 따라서 훔치도록 하지요. 240

스테파노 농담을 해주니 고맙다. 그 보상으로 여기 옷 한 벌을 주겠다.

(그가 옷 한 벌을 나무에서 벗겨서 트링큘로에게 준다.)

내가 이 나라의 왕으로 있는 한 농담에는 항상 보상이

있을 것이다. "법도에 따라서 훔친다"는 정말 영리한

위트구나. 그 보상으로 옷 한 벌을 더 주겠노라.

(다른 옷 한 벌을 벗겨서 그에게 준다.)

트링큘로 괴물아, 자, 너의 손가락에 끈끈이를 묻혀서 245

나머지도 가져가자꾸나.

캘리반 난 그까짓 것들은 안 가지겠어. 우리가 때를 놓치면

모두 기러기로 변하거나 이마가 악한처럼 좁은

원숭이가 될 거야.

스테파노 괴물아, 네 손가락을 이용해서 이걸 술통이 있는 곳으로 250

나르는데 거들어야겠다. 그렇지 않으면 너를 왕국에서

쫓아내버리겠어. 가서 이걸 나르라니까.

트링큘로 그리고 이것도 함께.

스테파노 그렇지, 그리고 이것도. (그들은 캘리반에게 나머지 옷을 준다.)

사냥꾼들의 소리가 들린다. 여러 정령들이 개와 사냥개의
모습으로 등장하여 그들에게 덤벼든다. 프로스페로와
에어리얼이 그들을 격려한다.

프로스페로 자, 산 정령 마운틴! 덤벼라! 255

에어리엘 은 정령 실버! 저기 간다, 실버!

프로스페로 분노의 정령, 퓨어리! 거기다, 타이런트! 저기야! 자! 자!

             (캘리반, 스테파노, 그리로 트링퀼로가 쫓겨 간다.)

    가서 내 정령들에게 말해라, 그들의 뼈관절을 갈아서

    마른 경련이 일어나게 하고, 근육을 당겨서

    노인처럼 쥐가 나게 하며, 저 놈들을 마구 꼬집어서   260

    표범이나 살쾡이보다 더 얼룩지게 해버려라.

에어리엘   들어보세요, 저들이 울부짖나이다.

프로스페로 그놈들 실컷 공격을 당하도록 놔둬라. 이제

    모든 나의 적들이 내 손 안에 있어.

    곧 내 일은 끝날 것이니라. 그러면 너도

    네 마음대로 가도 좋다. 잠깐 동안만   265

    나를 따라와서 나를 도와다오.   (퇴장)

5막

1장

프로스페로의 동굴 앞

프로스페로가 마법의 의상을 입고 에어리얼과 등장[37]

프로스페로 이제 내 과업이 마무리가 되고 있구나.

　　　내 마법은 완벽하고, 정령들은 잘 따르며, 그리고 시간은

　　　짐을 지고도 꼿꼿하게 가고 있어. 시간이 어떻게 되었느냐?

에어리얼 여섯시입니다. 주인님께서 일을 끝내시겠다고

　　　말씀하셨던 시각입니다.

프로스페로　　　　　　그렇게 말했었지,　　　　　5

　　　폭풍을 처음 일으켰을 때 말이다. 자, 나의 정령아,

　　　국왕과 그 일행의 상황은 어떠하냐?

에어리얼　　　　　　주인님께서 그들을 두고

　　　떠나셨을 때 남겨두셨던 것과 똑같은 방식으로

　　　함께 가두어 두었죠. 모든 죄수들은 주인님의 동굴을

　　　비바람으로부터 막아주는 참나무 숲 안에 갇혀 있지요.　　　10

　　　주인님께서 풀어주실 때까지 조금도 움직일 수 없어요. 국왕과

　　　그의 동생, 주인님의 동생 세 사람은 거의 실성한 상태이고

　　　나머지 사람들은 과도한 슬픔과 절망으로

　　　그들을 슬퍼하고 있답니다.

주인님께서는 그를 칭하기를 "착한 노대감,

곤잘로"라고 하셨죠.   15

그의 눈물이 마치 겨울 빗방울이 갈대 처마에서

떨어지는 것처럼 흘러내렸어요. 주인님의 마법이 너무

강하게 작용해서 주인님께서 지금

그것들을 본다면, 감정이 더

약해졌을 것입니다.

프로스페로   너도 그렇게 생각하니, 정령아?

에어리엘 저의 감정도 그랬을 것입니다, 제가 인간이라면 말입니다.

프로스페로   내 마음도 그랬을 거다.   20

공기에 불과한 너마저도 그들의 고통에 대해서

감동이나 감정이 그러한데,

그들보다 더 날카롭게 느끼는 내가

너보다 더 동정심을 가지지 않겠느냐?

비록 그들의 잔악한 잘못에 의해서 더 민감하게

충격을 받았지만,   25

분노를 누르려는 더 고상한 이성의 편을

들어야겠다. 복수보다는 덕을 베푸는 것이

더 고귀하기에 그들이 잘못을 뉘우친다면

내 목표의 유일한 방향은 조금의 분노의 표정조차도

나타내지 않으리라. 가서 그들을 풀어주어라, 에어리얼.   30

내가 마법을 풀고 그들의 의식을 회복시켜주면,

그들도 정신을 차릴 거야.

에어리엘   그들을 데려오겠습니다, 주인님.

프로스페로는 지팡이로 무대 위에 마법의 원을 그린다.

프로스페로   너희들, 언덕과 시냇물, 고여 있는 호수와 숲의 요정들아,
            발자국이 없는 모래밭에서 썰물이 바다의 신 넵튠을 뒤쫓고,
            그가 돌아오면 도망치는 너희 요정들아,   35
            달밤이면 풀밭에서 춤추며 원을 그려서
            맛이 없게 만들어 양들이 뜯어먹지 못하게 만들고,
            너희들의 소일거리가 한밤중에 버섯을 기르는 일이라
            엄숙한 소등 신호 소리에 기뻐하는 요정들아,
            비록 힘이 약하지만   40
            너희들의 도움으로 한낮의 태양을 그늘이 지게하고
            폭풍을 일으켜서 푸른 바다와 쪽빛 하늘 간에
            으르렁거리는 전쟁을 일으키게 했으며, 무섭게 울부짖는
            천둥에 번갯불을 주었고, 조우브신의 단단한 참나무를
            벼락으로 쪼개버렸으며, 단단하게 자리 잡고 있는   45
            바위를 흔들어버렸고, 소나무와 삼나무를 뿌리째
            뽑아버리기조차 하였으며, 내 명령대로 무덤들이
            그 속에서 잠들어있는 자들을 깨우고,
            입을 벌려 나의 강력한 마법으로 그들을
            토해내도록 하였지. 하지만 이제 이러한 거친   50
            마법을 포기하겠다. 내가 천상의 음악을
            요청할 때, 그걸 지금 실천하려고 하는데,

(그의 지팡이를 들어올리며)

그 음악이 만들어진 목적대로 그들의 지각에

작용하여 정신이 들게 한 다음, 지팡이를 부러뜨리고,

깊은 땅 속에 묻어버리겠으며,   55

마법 책은 수심측정용 추보다 더 깊은

물속에 빠뜨려버리리라.   (장엄한 음악)

에어리얼이 먼저 등장하고, 알론소는 곤잘로의 부축을 받으며
실성한 몸짓을 하며 나오고, 세바스챤과 안토니오는 같은 모습으로
에이드리언과 프랜시스코의 부축을 받고 등장한다.
그들은 모두 프로스페로가 그려놓은 원 속으로
들어가서 마법에 걸린 채 서있다.
프로스페로가 그런 모습을 보며 말한다.

(알론조에게) 장엄한 음악은 불안정한 마음을 치유하는

최고의 위로자로 머릿속에 번뇌로 들끓어 기능이 멈춘

그대의 두뇌를 치료해주리라!

                          (모두에게) 거기 서 있으시오,   60

그대들은 마법에 걸려 꼼짝할 수 없소.

성스러운 곤잘로, 존경스러운 분이여,

그대의 눈에서 떨어지는 눈물방울에 감동하여

나도 눈물이 나는 구료. 마법이 곧 풀리면,

마치 아침이 스며들어 밤의 어둠을 녹이듯이,   65

맑은 이성을 덮고 있는 자욱한 안개를 걷어버리기

시작할 것이오. 오 선량한 곤잘로,

나의 진정한 보호자여, 그대가 섬기는 자에게
충성하시는 분이여! 그대의 은혜에 대하여
말과 행동으로 최대한 보답하리다. 알론조여, 70
당신은 나와 딸을 너무도 잔인하게 다루어
비인간적인 짓을 했소이다.
당신 동생은 그 일에서 조력자로 거들었소.
세바스챤, 그대는 그것 때문에 벌을 받은 거다.
혈육인 너, 내 아우는 야망에 사로잡혀서 75
연민과 천륜을 저버리고 세바스챤과 함께,
너의 왕을 죽이려고 했겠다, 그로 인해
양심의 가책이 매우 아프겠지만 말이다.
네가 비록 비양심적인 놈이지만 용서하마.
그들의 의식이 회복되기 시작하는구나. 80
다가오는 물결이 지금도 더럽고 진흙투성이
이성의 해변을 빠르게 채워줄 것이다. 어느 누구도
아직은 나를 보지도 알아보지도 못하리라.
에어리얼, 동굴에 있는 내 모자와 칼을 가져오너라.

(에어리얼이 퇴장했다가 바로 돌아온다.)

마법의 옷을 벗고 이전에 밀라노 공작이었을 당시 85
모습으로 나타나야겠다. 서둘러라, 정령아,
오래지 않아 너를 자유롭게 해주마.

에어리얼이 노래하며 그가 옷을 도와준다.

벌이 꿀을 빠는 곳에서 나도 꿀을 빠네.

앵초 꽃잎 속에서 누워서

부엉이가 울 때 잠드네.   90

즐겁게 따뜻한 여름을 찾아서

박쥐 등을 타고 나르네.

이제 즐겁게 즐겁게 나는 살으리라.

나뭇가지에 매달린 꽃송이 아래에서.

프로스페로 참, 나의 단아한 에어리얼이구나! 네가 보고 싶을 거다.   95

하지만 너를 해방시켜주겠다. 그래, 그렇지, 그래.

국왕의 배로 가거라, 보이지 않게 말이다.

거기 가면 갑판 아래에서 잠들어 있는 선원들을

찾을 수 있을 게다. 선장과 갑판장이 잠에서

깨어나면, 그들을 이리 끌고 오너라,   100

바로 즉시 시행하라.

에어리엘 단숨에 달려갔다가 주인님의 맥박이 미처

두 번 뛰기 전에 돌아오겠습니다.

곤잘로 모든 고통과 어려움, 경이와 혼돈이

여기에 있구나. 어떤 신적인 존재가   105

우리를 이 무서운 곳에서 벗어나게 해주기를!

프로스페로   보시오, 국왕이여!

억울하게 물러났던 밀라노 공작, 프로스페로요.

살아있는 공작이 지금 당신에게 말하고 있다는 것을

확신하도록 당신의 몸을 껴안는 것이오.

그리고 당신과 일행을 나는 진심으로   110
환영하겠소이다.

알론조   그대가 정말 그인지 아닌지,
요즈음 나를 혼란하게 하였던 어떤 마법의 장난인지,
알 수가 없소. 그대의 맥박이 육신을 가진
사람처럼 뛰고 있구료. 내가 그대를 만난 후로
마음의 고통은 치유가 되었지만, 그로 인해서   115
어떤 광기가 나를 사로잡는 것 같소. 이것이 실제로
일어난 것이라면, 분명히 매우 희한한 이야기구료.
나는 그대의 공국에 대한 권한을 포기하고 나의 잘못을
용서해주길 탄원하는 바이요. 그런데 프로스페로 그대는
어떻게 살아서 여기에 있는 거요?

프로스페로 (곤잘로에게)   먼저, 귀하신 친구여,   120
그대의 노쇠한 몸을 껴안게 해주시오. 그대의 명예는
측정할 수도, 한계를 지울 수도 없소.

곤잘로   도대체 이게 현실인지 아닌지
확신할 수 없습니다.

프로스페로   그대는 섬의 묘미를
맛보았던 지라, 확실한 것들조차 믿지 않으려고
하는구려. 환영하오, 모든 친구들!   125
(세바스챤과 안토니오에게 방백) 그러나 당신들 두 사람이
역적임을 증명해서 폐하의 노여움을 사게 할 수도 있으나
이번에는 말하지 않겠소.

세바스챤 (안토니오에게 방백) 그 안에 악마가 있는 것 같군.

프로스페로   그렇지 않다,

참으로 사악한 네 놈을 형제라고 부르기에는   130

내 입이 더러워질 지경이나 그 더러운 죄를

용서해주마, 그 모든 죄악을. 그리고

네가 차지한 공국을 돌려줄 것을 요구하노라,

네 놈이 수락하지 않을 수 없을 터이지만.

알론조 그대가 프로스페로라면,

그대가 어떻게 살아남았는지 자세히 말해주오,   135

어떻게 여기서 우리를 만나게 되었는지, 세 시간 전에

이 해안에서 조난당했는데 말이오. 나는 거기서,

그 생각만 해도 날카로운 칼끝처럼 가슴이 저미어 오는구려!

내 사랑하는 아들 퍼디난드를 잃었소.

프로스페로   거기에 대해서 안타깝습니다, 폐하.

알론조 그 상실은 돌이킬 수 없는 것이라, 인내로도   140

치유할 수 없소.

프로스페로   제 생각에는 폐하께서

인내의 도움을 구하지 않은 것 같습니다. 저는 인내의 자비로

똑같은 손실에 대해서 가장 강력한 도움을 받고

안식을 취할 수 있었습니다.

알론조   그대도 똑같은 손실을 겪었단 말이오!

프로스페로 나로서는 최근에 똑같이 큰 손실이 있었소이다. 폐하께서 145

귀한 것을 상실한 것을 지탱하려고 스스로 위로하려고

요청할 수 있는 수단보다 훨씬 적지요, 왜냐하면 제가

잃은 것은 딸이기 때문이외다.

알론조   딸을 그랬단 말이오?

저런, 그 애들이 나폴리에 살았더라면,

왕과 왕비이었을 텐데! 그 애들이 그럴 수 있다면,   150

내 아들이 묻혀있는 질척질척한 진흙탕 속에 내가

대신 묻혀 있었으면 좋겠소. 딸을 언제 잃었단 말이오?

프로스페로 지난 태풍 동안이었습니다. 여기 분들은

이번에 나를 만나면서 너무 놀란 나머지

분별력을 잃어버리고 여러분의 눈이 제대로   155

작동을 하고, 그들이 듣는 말이 사람의 것이라고

생각하기 어려운 듯합니다.   그러나 아무리 여러분들의

판단력이 혼란스럽다고 하더라도, 확실하게 알 수 있는 것은

내가 프로스페로이고, 밀라노에서 축출된 공작이라는 것이며,

아주 기묘하게도 여러분들이 이 해안에서   160

조난당해서 상륙한 섬의 주인이라는 사실입니다.

이것에 대해서 그만둡시다.

왜냐하면 이건 여러 날 두고 풀어가야 할 이야기이지,

조찬을 하면서 하는 짧은 이야기도 아니라서,

처음 만나는 자리에서 꺼내는 건 어울리지 않습니다, 환영합니다, 165

이 동굴은 내 궁중입니다. 여기에 시종은 없으며

동굴 밖에도 신민은 아무도 없습니다. 자, 안을 둘러보세요.

당신께서 나의 공국을 다시 돌려주셨으니,

저도 귀중한 것으로 보답하려고 합니다.

적어도 공국반환에 대한 만족 못지않게 당신을 기쁘게 할만한 170
진기한 것을 보여드리겠습니다.

**여기에서 프로스페로는 퍼디난드와 미란다가 장기를 두고 있는
장면을 보여준다.**

미란다 왕자님, 그대는 저를 속이시는군요.

퍼디난드   그렇지 않아요, 사랑하는 이여,

세상을 걸고 절대로 그렇지 않소.

미란다 좋아요, 수많은 왕국을 위해 싸우신다면,

저는 공정한 게임이라고 하겠어요.

알론조   만약에 이것이 섬의 환상일 뿐이라면,

나는 귀한 아들을 두 번이나 잃게 되겠구료.

세바스챤   참으로 놀라운 기적이로구나!

퍼디난드 바다가 아무리 위협해도 자비롭기도 한데,

저는 까닭 없이 바다를 저주만 한 것 같습니다. (그는 무릎을 꿇는다.)

알론조 (그를 포옹하며)   이제 기쁜 아버지의

모든 축복이 너를 감싸 안을 것이다!   180

일어나서 네가 여기에 어떻게 왔는지 말해다오. (퍼디난드 일어난다.)

미란다   오, 놀라워라!

이렇게 많은 훌륭한 사람들이 여기에 있다니!

인간이란 얼마나 아름다운가! 아, 멋진 신세계로다,

이런 분들이 존재하고 있다니!

프로스페로 (슬프게 미소를 지으며) 네게는 새로우리라!

알론조 너와 함께 장기를 둔 처녀는 누구인가?   185

교제가 오래되었다한들 세 시간밖에 안될 텐데.

그녀가 우리를 헤어지게 했다가 함께 만나게 해준

여신인가?

퍼디난드   폐하, 그녀는 인간이옵니다.

하지만 불멸의 섭리에 의해서 저의 아내가 되었습니다.

제가 아버님의 허락을 받을 수 없는 상황이었고, 아버님께서   190

살아계신다고 생각할 수도 없을 때, 제가 그녀를 선택하였나이다.

그녀는 저 유명한 밀라노 공작의 따님입니다.

그분의 명성에 대해 익히 들어왔습니다만,

전에는 만나 뵌 적이 없었습니다. 하지만 그 분 덕택에

두 번째 생명을 부여받았나이다. 이 여인으로 인하여   195

그 분이 저의 장인이 되셨나이다.

알론조   내가 그녀의 시아버지가 되었구나.

그러나 아, 참으로 신기하게 들리는구나. 내가 자식에게

용서를 구해야한다니 말이다.

프로스페로   폐하, 그만 두십시오.

이미 지나버린 슬픔으로 우리 기억에 짐을 지우는 일은

하지 맙시다.

곤잘로   저는 속으로 울었사옵니다.   200

아니면 이렇게 말했을 것입니다. 그대 신들이여, 굽어 살피소서,

그리고 이 부부에게 축복의 왕관을 내려주소서!

바로 신들께서 우리를 이리로 데려오는 길을
백묵으로 그려주셨사옵니다.

알론조   나도 아멘이오, 곤잘로!

곤잘로 밀라노 공작이 밀라노에서 축출되었던 것은 그의 자손이   205
나폴리의 왕이 되기 위해서였습니까? 오, 통상적인
기쁨을 넘어서는 커다란 기쁨입니다! 이것을 영원한 기념비에
새기도록 하십시오. 한 번의 항해로 클라리벨 공주님께서
튜니스에서 신랑을 맞이하게 되었고, 그녀의 동생,
퍼디난드는 그 자신이 실종되었던 곳에서 아내를   210
찾게 되었으며, 프로스페로 공작께서는 형편없는 섬에서
그의 공국을 돌려받았고, 그리고 우리 모두는
정신을 잃어버렸다가 다시 정상을 되찾게 되었으니 말입니다.

알론조   (퍼디난드와 미란다에게) 손을 내게 다오.
너희들이 행복하지 않기를 바라는 자들은 비통과 슬픔이
그 가슴을 계속 껴안고 놓지 않으리라!

곤잘로   그대로 되게 하소서! 아멘!   215

에어리얼이 어리둥절하여 뒤따르는 선장과 갑판장과 함께 다시 등장

아, 보십시오, 보세요. 여기 우리 일행이 더 옵니다.
제가 예언했거든요, 육지에 단두대가 있었더라면,
이 자는 익사조차 하지 않았을 거라고요. 자, 신성모독자야,
배 위에서는 은총조차 거두어들이더니 육지에서는 육지거리를
못하느냐? 육지에선 입이 없느냐? 새로운 소식은 뭐냐?   220

갑판장 가장 기쁜 소식은 우리가 무사히 국왕 폐하와

일행을 만났다는 것이고, 다음으로는 우리들의 배가. . .

세 시간 전만해도 부서졌다고 말했는데. . .

단단하고 새는 곳도 없어서 언제든 항해할 수 있다는 것입니다,

우리가 처음 바다로 항해를 시작할 때처럼 말입니다.

에어리엘 (프로스페로에게 방백) 이 모든 일은 제가 가서

이루어 놓은 것입니다.

프로스페로 (에어리얼에게 방백) 나의 영리한 정령이구나!　　　　225

알론조 평범한 일이 아니로다. 이 일들이 갈수록

더욱 기이해지는구나. 자, 너희들은 어떻게 이리로

오게 되었느냐?

갑판장 폐하, 제가 완전히 깨어있다고 생각되면,

말씀드리도록 하겠습니다. 우리들은 죽은 듯이 잠들어 있었고, 230

연유는 알 수 없사오나 모두 갑판 아래 갇혀있었는데,

그곳에서 방금도 여러 가지 이상한 소리가

으르렁거리고, 비명을 지르고, 울부짖고, 쇠사슬이 쨍그렁거리면서

온갖 무시무시한 여러 소리들이 들렸어요.

우리들이 깨어나자 바로 자유로워졌는데,　　　　　　235

모두 단정하게 옷을 입고 있었고, 말짱한 상태로

늠름하고도 멋지며 당당한 배를 보게 되었습니다. 선장님은

배를 보고 기뻐서 춤을 추었답니다. 그런데 한순간에 보시다시피

마치 꿈처럼 선원들이 나뉘어 어리둥절한 채로

이리로 끌려왔답니다.

에어리엘 (프로스페로에게 방백) 일이 잘된 건가요? 240

프로스페로 (에어리얼에게 방백) 잘했다, 부지런한 정령아. 너를

풀어주겠다.

알론조 이건 사람이 걸어본 어떤 미로만큼이나 기묘하구나.

이 안에는 자연이 만든 어떤 일보다 더 깊은 의미가 있어.

어떤 신탁이 우리를 깨닫게 해주어야 이해할 수 있으리라.

프로스페로   국왕, 폐하, 245

이일의 미묘함에 대해 파헤치느라 너무 걱정하지 마십시오.

언젠가 곧 별도로 한가한 때에 말씀드리겠습니다.

일어난 모든 일들이 폐하께 이해할 수 있도록

설명을 드리겠으니, 그때까지 마음을 편히 가지시고

모든 일을 긍정적으로 생각해주시기 바랍니다. 250

(에어리얼에게 방백) 정령아, 이리로 오너라.

캘리반과 그의 일당을 놓아주어라.

마법도 풀어 주거라. (에어리얼 퇴장) 좀 어떠십니까?

폐하의 일행 중 기억도 못하시는 겨우 몇 명의

친구들을 찾지 못하고 계십니다. 255

훔친 의상을 입고 있는 캘리반, 스테파노, 트링큘로를
몰아오면서 에어리얼 다시 등장

스테파노 사람은 누구나 다른 모든 사람들을 위해서 일해야지, 자신만을

돌보아서는 안 되지. 왜냐면 모든 게 운이거든.

용기를 내라, 멋진 괴물아, 용기를 내!

트링큘로 내 머리에 달려 있는 눈이 믿을 만하다면,

이건 대단한 구경거리야. 260

캘리반 세테보스 신이시여, 이것들은 정말 훌륭한 정령들이구나!

우리 주인님이 멋지게 차려입었네!

나를 매로 벌하려면 어쩌지.

세바스챤 하 하!

이게 무엇이오, 안토니오 경?

돈으로 살 수 있는 건가요?

안토니오 아마도 그럴 거요. 그 중 하나는 265

분명히 물고기입니다. 틀림없이 사고 팔수도 있고요.

프로스페로 이들의 복장을 보세요, 여러분들.

그리고 그들이 진짜인지 아닌지 말해보세요. 이 괴상한 놈은

어미가 마녀인데, 엄청나게 힘이 세어

달도 움직이고, 밀물과 썰물을 만들며 270

달의 힘을 빌리지 않고도 그만큼 능력을 발휘하지요.

이 세 놈은 내 것을 훔쳤지요.

이 반 토막 악마는, 서출 출신으로, 그들과 공모해서

내 생명을 빼앗으려고 했고요. 그들 중 두 놈은

그대들의 하인이니 알고 있어야겠지요. 이 시커먼 놈은 275

제 하인임을 말씀드립니다.

캘리반 난 이제 죽도록 꼬집히겠구나.

알론조 이 작자는 술주정뱅이 집사 스테파노가 아닌가?

세바스챤 그는 지금도 취해있는 걸요. 어디서 술을 구한 거지?

알론조 그리고 트링큘로도 취해서 비틀거리고 있구나. 그들이
저토록 벌겋게 만든 대단한 술을 어디서 찾아냈단 말인가? 280
어떻게 네 놈이 이 지경이 되도록 만취하게 되었느냐?

트링큘로 폐하를 마지막으로 알현한 이후로 내내 너무 취해 있었기에,
뼈들이 빠져나가지 않았나 걱정됩니다. 파리가 날아와
덤비지는 않을 거고요.   (스테파노가 신음소리를 낸다.)

세바스챤 글쎄, 어떻게 된 건가, 스테파노! 285

스테파노 아, 날 건드리지 마시오. 난 스테파노가 아니라 복통에 불과하니.

프로스페로 네가 이 섬의 왕이 되려고 했다구?

스테파노 난 폭군이 되었어야 했죠.

알론조 이 작자는 지금까지 본 바로는 참으로 신기한 존재군.

(캘리반을 가리키며)

프로스페로 그놈은 생김새와 마찬가지로 행실도 비정상적인 290
놈이옵니다. 이봐라, 내 방으로 가거라.
네 놈의 추종자들도 데리고 가거라. 네 놈이
내 용서를 구하려거든, 방을 말끔하게 정리해둬라.

캘리반 네, 그렇게 하겠소. 그리고 지금부터 현명해질 것이니,
용서해주시기 바라오. 제가 엄청난 바보천치였군요, 295
이런 주정뱅이를 신으로 알고, 이런 바보멍청이를
받들어 모셨다니!

프로스페로   가라, 가버려!

알론조 물러가거라, 그리고 네 물건들은 발견했던 곳에 가져다 두거라.

세바스챤 차라리 훔쳐온 거죠.

프로스페로 폐하, 저는 폐하 일행을 저의 누추한 방으로 초대하고자 300

합니다. 그곳에서 하룻밤 휴식을 취하시기

바랍니다. 잠깐 시간을 내어 제가 이야기를

하게 될 터이니 시간은 틀림없이 빨리 지나가고

말겠지요. 제 인생의 역정과 이 섬에 오고난 후

겪었던 주요한 일들에 대해 말입니다. 아침이 오면 305

배로 가서 폐하를 나폴리로 모시고 갈 작정입니다.

거기서 우리들의 사랑하는 아이들의 결혼식이

엄숙하게 거행되는 것을 보고 싶나이다.

그리고는 밀라노로 돌아가서 살겠습니다. 거기서 310

저의 세 번째 인생을 죽을 날을 기다리며 지내겠지요.

알론조   공작의

삶의 역정을 들어보고 싶소. 틀림없이 내 귀를

솔깃하게 할 것이오.

프로스페로   모든 것을 말씀드리겠습니다.

그리고 잔잔한 바다와 순풍을 약속드립니다.

그래서 아주 빠르게 항해를 하여 멀리 떨어진 315

폐하의 함대를 뒤쫓아 가겠습니다. (에어리얼에게 방백) 자,

에어리얼아, 그것은 너의 소임이다. 그리고 너를 자연 속으로

해방시켜주겠노라! 안녕! 여러분 이리 가까이 오시지요.

(모두 퇴장)

에필로그

프로스페로가 말한다

이제 저의 마법은 모두 무너졌으니
제가 원래 가지고 있었던 힘은
너무나 미약합니다. 이제 사실상 제가
여기 갇혀 있든 나폴리로 보내지든
여러분들에게 달려 있습니다.   5
저의 공국도 되돌려 받았고
사기꾼들도 용서를 하였으니 제발 마법으로 인해
이 황량한 섬에 살게 하지 마시고
여러분들의 멋진 박수갈채로
족쇄에서 풀어주시기 바랍니다.   10
여러분들이 친절한 비평을 해주셔서
저의 돛을 활짝 펴게 해주지 않으면
여러분들을 즐겁게 해드리려고 하는
저의 계획은 실패하고 말겁니다. 이제 저는
부려먹을 요정도, 마법을 걸 능력도 없으니   15
여러분들의 기도로 제가 구원을 받지 못하면
저의 마무리는 절망적일 뿐입니다.
그 기도는 하늘을 뚫고 가서 자비의 신을

감동시켜 모든 허물을 용서하게 할 겁니다.

여러분들께서도 죄 사함을 받으시려거든

관용을 베푸시어 저를 풀어주시기 바랍니다. (퇴장) 20

• 주

1. 프로스페로와 미란다가 좌초되는 배를 바라보고 있는데 미란다는 안타까워하고 프로스페로는 그의 마법으로 발생한 폭풍이 일어난 이유를 설명하고 있다.
2. 담쟁이 덩굴이 나무등걸을 둘러싸고 영양분을 빨아먹어서 고사되는 이미지를 통해서 안토니오가 국사를 제 마음대로 장악하여 비리를 저지르는 상황을 묘사하고 있다.
3. 오래된 원수를 뜻한다.
4. 운명의 여신(Fortune)을 뜻한다.
5. 엘리자베스 시대에는 천체가 인간의 운명에 결정적인 영향을 끼친다고 믿었다.
6. 바다의 신은 넵튠(Neptune)으로 번개처럼 뾰쪽한 세 쪽이 난 삼지창처럼 생겼다고 생각했다.
7. 에어리얼이 공기인 것과 대조적으로 캘리반을 흙으로 표현하고 있다.
8. 큰 불빛은 해이고, 작은 불빛은 달을 뜻한다.
9. 마젤란의 탐험기에 나오는 섬의 자연신을 가리킨다.
10. 버질의 『에네이드』에서 다이도는 카르타고의 여왕으로 나온다.
11. 메리의 축약형
12. 케더린의 축약형
13. 배의 바닥을 역청이나 타르로 칠하기 때문에 선원들의 옷에서 이런 냄새나 난다는 의미이다.
14. "악마와 식사를 하려면 긴 스푼을 가져야 한다"라는 속담에서 유래한 단어이다.
15. 퍼디난드가 프로스페로가 명한 통나무 쌓기를 하고 있는데 미란다가 그것을 보고 연민으로 바라보고 있는 장면이다.
16. 스테파노, 트링큘로, 캘리반이 술에 취해 나타나며 캘리반은 섬을 다스리는 새 주인이 되도록 프로스페로를 죽이려고 동굴에 접근하는 장면이다.
17. 세 사람이 술에 취해 있기 때문에 나머지 둘도 마찬가지라면 나라가 엉망이 된다는 의미이다.
18. 캘리반이 스테파노에게 충성의식을 하는데, 술에 취해 매우 희극적인 분위기를 자아낸다.
19. 광대들이 입는 얼룩무늬의 옷을 가리킨다.
20. 세상에서 가장 예뻐서 어느 여자와도 비교가 안 된다는 의미이다.

21. 알론소 왕을 시해하려는 계획을 의미한다.
22. 과일과 와인 같은 가벼운 식사로 구성되어 있는 잔칫상이다.
23. 뿔이 하나 달린 우화에서 나오는 말 형상의 동물을 의미한다.
24. 둥지에서 불에 타 죽어야 번식한다는 신화적인 새
25. 여자의 얼굴과 몸을 가지고 있으면서도 새처럼 날개와 발톱을 지니고 있어 복수의 무기로 사용한다는 신화적인 새
26. 끝에 무거운 추가 달려 수심을 측정하는 도구이다.
27. 고대 그리스 신화의 결혼의 신으로 통상 횃불을 가지고 나오는데, 그것은 축복의 의미이다.
28. 태양의 신의 군마가 너무 빨리 무리하게 달린 나머지 쓰러져서 밤이 온다는 의미이다.
29. 대지의 여신이자, 농사의 보호신으로 로마에서는 추수와 과실의 여신을 의미했다.
30. 에어리얼이 시어리스로 분장하고 등장한다.
31. 어두운 지하세계의 신으로 시어리스의 딸, 프로세르피네를 탈취하여 그의 왕국으로 데려갔다는 신화를 의미한다.
32. 파포스는 사이프러스를 가리키며 아프로디테(비너스)를 숭배하는 곳이다.
33. 비너스의 마차는 비둘기가 끄는 것으로 신화에 나타난다.
34. 퍼디난드가 프로스페로에게 약속한대로 결혼 전 순결의 약속을 지키겠다는 의미이다.
35. 그리스 신화의 물의 요정으로 샘, 시내, 강에 산다.
36. 습지에서 자라는 식물
37. 에어리얼이 알론소 왕 일행을 붙잡아 오고 프로스페로는 복수보다는 자비와 용서를 베풀려는 장면이다.

작품설명

I

셰익스피어는 마지막 작품인 『태풍』에서 비극이나 사극에서 다루었던 정치적 야망에 사로잡힌 비극적 영웅이나 정치세력 간의 갈등과 파국으로 인한 후유증의 해결과 치유를 로망스의 초현실적 요소를 통해 마련하고자 하였다. 이 극에서 다루고 있는 정치적 반목과 갈등구조는 영국 역사의 어두운 치부이면서 동시에 모든 사회의 보편적 권력투쟁의 산물이기도 하다. 셰익스피어가 『태풍』을 통하여 인간사회의 영원한 딜레마인 사악한 정치적 음모와 반역의 고리를 끊고 구원을 가져다줄 수 있는 대안을 종교적 제의를 통해서 찾았다는 것은 자연스러운 귀결일 수도 있다. 셰익스피어가 일찍이 사극을 통해서 권력의 찬탈이 영국왕조에 가져온 혼란상을 보여주었듯이, 피비린내 나는 골육상쟁의 역사적 현실을 다루면서 극작가를 포함한 당대인들은 고질적인 갈등에 대한 평화적 해결의 욕구를 하지 않을 수 없었을 것이다.

당대인들은 당시 풍미했던 사상인 왕권신수설이나 '존재의 사슬' (Chain of Being)이 제시하는 관점을 선호하였다. 그들은 만물에는 신이 부여한 나름의 쓰임이 있고, 인간 또한 지력이 뛰어난 사람이 열등한 자를 다스려야 한다고 보았다. 그래서 최선의 통치는 신으로부터 왕권을 신성하게 위임을 받은 통치자만이 가능하고 가장 오래 지속된다고 보았던 것이다. 그래서 두 사상의 최선의 원리를 파괴하고 통치자의 권력을 찬탈하는 것은 우주적 질서를 어긋나게 하여 공동체의 불행을 가져오게 한다고 믿었다. 이 작품에서 프로스페로의 권력을 안토니오와 알론조가 음모를 통해서 찬탈하는 반역행위는 권력층뿐만 아니라 일반 시민들과 자연에 이르기까지 저주와 혼란을 피할 수 없다고 본다. 역사적으로도 제임스 1세 같은 통치자가 권력찬탈에 의해 저질러진 잘못을 바로잡고 반역을 물리치는 이 작품을 매우 긍정적으로 수용했다는 사실을 볼 때 이 작품의 제의적 효과에 대한 시대적 필요성을 엿볼 수 있는 것이다.

이 작품에서 셰익스피어가 보여주고자 하는 것은 사극에서 보여주는 권력찬탈의 과정보다 그로 인한 영성과 자연성 사이의 부조화나 갈등을 어떻게 복원하고 치유할 수 있느냐에 초점을 맞추고 있다. 『태풍』에서 발견되는 영성이나 자연성의 부조화나 갈등은 단순히 플롯상의 적대관계가 아니라 외면적인 정치적 혼란과 내면적 부조화가 밀접한 상관관계를 지니고 있음을 보여준다. 셰익스피어는 프로스페로와 퍼디난드가 상징하는 문명성이나 에어리얼이 상징하는 영성, 그리고 캘리반이 상징하는 자연성이 대조를 이루며 전 작품을 통해서 긴장관계를 유지하며 진행되고 있다. 문명성과 자연성은 작품 속에서 에어리얼과 캘리반으로 분리

되어 나타나지만, 두 인물이 상징하는 두 영역은 한 인간에게 존재하는 양면성일 수 있다. 인간은 에어리얼의 영성을 닮고자 하지만 캘리반의 자연성이나 물질성의 도움이 없이는 존재할 수 없는 것이다. 온전한 인간이란 적대 관계의 두 영역의 조화로운 공존으로 가능한 것이며, 제의는 깨어진 균형이나 조화를 회복시키고자 하는 종교적 제도라고 볼 수 있다.

II

이 작품은 기독교적 제의가 다양한 형식으로 잠재되어 있다. 프로스페로는 영적으로 미숙한 캘리반과 미란다를 교육시키는데, 전자는 시코랙스라는 악마의 영향에서 벗어나게 하는 것이고, 후자는 그녀의 삶에 신의 임재를 느끼게 하여 영적으로 성숙시키는 일이다. 프로스페로는 캘리반에게 기독교 도덕을 교육하여 영적으로 변화시키고자 한다. 그는 정치적으로 캘리반의 섬을 강점하고 밀라노의 고급언어를 가르쳐서 문화적으로 긍정적 변화를 유도한다. 이러한 영적 교육은 참여자의 변화를 통해서 사회의 발전에 기여하는 유용한 존재로 변화시키려고 하는 것이다. 제사장으로서 프로스페로는 마법으로 상징화되고 있는 초능력을 소유한 신의 대리자 이미지를 보여준다. 영성이나 문명을 상징하는 프로스페로는 미란다를 통해서 자연과 흙을 상징하는 캘리반을 교육시켜 유용한 존재로 변형시키려고 한다.

프로스페로는 교육을 통해서 캘리반의 자연적 수성을 순화시키고 문명사회의 일원으로 전환시키려고 노력한다. 이 시도는 탈식민주의적 관점에서 조망할 때 서구적 관점을 제3세계에 강요하는 제국주의적 발상으로 캘리반으로부터 섬을 빼앗고 체제를 공고하게 하려고 자신들의 언어를 가르치는 식민주의 정책으로 비판을 받아왔다. 그러나 프로스페로가 캘리반으로 하여금 수호신 세케보스의 영향권에서 벗어나게 하는 것은 새로운 영적 개종을 위해서 자신의 동굴에 기거하게 하면서 이전의 삶에서 벗어나게 하고자 하는 것이다. 프로스페로의 끈질긴 노력에도 불구하고 캘리반의 영적 개종은 실패할 수밖에 없다. 비문명적 존재인 캘리반이 프로스페로의 교육의 영향으로 출생에 걸맞지 않게 표준 언어를 구사하지만 내적 변화는 언어교육에 비례하여 일어나지 않는다. 더더욱 영성을 강조하는 기독교 제의는 자연성을 추구하는 캘리반의 반발을 일으킬 뿐 인위적으로 몰아갈 수 없다. 캘리반은 프로스페로가 내릴 징벌이 무서워 복종을 위장할 뿐이다.

프로스페로는 미란다에게 과거의 고통스러운 추방에 대한 경험을 제의적으로 주술적 진술을 하여 영적 의미를 찾도록 유도한다. 제사장인 프로스페로는 피교육자인 미란다가 잊고 있었던 과거를 깨닫게 하여 올바른 영적 정체성을 찾도록 도와준다. 프로스페로의 진술에 의하면 그는 추방된 밀라노 공작이며 미란다는 그의 귀중한 딸이라는 것이다. 미란다는 처음으로 자신의 참된 신분과 사회적 정체성에 대하여 인식하게 된다. 순진하고 무지한 상태였던 미란다는 프로스페로의 교육에 의하여 안토니오 같은 악한에 대하여 비로소 인식하게 되고 인간사회가 극심한 갈등과 불화에 시달리고 있음을 이해하게 된다. 더구나 아버지 프로스페로가 어린 딸인 자신과 함께 망망대해에 내던져 죽음과 같은 극단적인 실존상태에 놓였었다는 사실을 깨닫는다.

제사장으로서 프로스페로가 원하는 제의적 효과는 인간 상황에 대한 실존적 깨달음에 머무르지 않는다. 기독교적 관점에서 프로스페로와 미란다의 현존재는 우연적 결과가 아니라 신의 은총과 개입에 의해서 가능하다고 인식하는 수준으로 심화된다. 파도가 넘실대는 망망대해에 떠도는 작은 배를 탄 무력한 부녀의 안전이란 극히 위험천만한 상황이고 인간의 능력을 벗어나는 영역이기도 하다. 게다가 인간사회에서 가장 높은 위치에서 모든 것을 누리고 있다가 아무것도 없는 무의 상태로 전락했을 때 인간은 잊고 있었던 영적 정체성을 깨달을 수 있다. 영적 가치를 가리는 세속적 가치가 제거되었을 때 오히려 인간은 영적 가치에 접근하기에 용이한 것이다.

이 작품에서 낭만희극의 풍요제적 구조를 효과적으로 드러내는 사건은 퍼디난드와 미란다의 만남과 사랑의 결실이다. 본래 풍요제에서 남녀의 결합은 땅과 동물과 인류의 결실을 증진하기 위한 것이라는 프레이저의 주장과 조화를 이룰 수 있는 부분이다. 반면에 미란다와 퍼디난드가 보여주는 사랑의 결합은 매우 영적이고 이상적인 사랑의 결합의 이미지가 강하다는 점에서 차별성을 보여준다. 두 사람은 우연한 조우의 형태를 취하지만 프로스페로의 철저한 연출에 의해서 만들어진 필연적 사건이다. 남녀의 만남을 위한 제의는 전통적으로 풍요제의 형식을 취하는데, 여기서 두 남녀가 보여주는 사랑의 제의는 프로스페로가 추구하는 화해와 용서의 제의를 완성시키기 위한 전초적 단계로서 매우 상징적이다. 그는 권력욕과 정치적 음모에 의해서 발생된 불화와 갈등을 치유하기 위하여 치밀한 계산을 통해 실마리를 풀어간다. 안토니오와 알론조가 저지른 죄로 더럽혀진 마음을 정화하기 위해서는 때가 묻지 않은 새로운 세대의 신성한 결합의 제의에 의해서 가능해진다고 본 것이다.

두 연인의 첫 만남은 운명의 신에 의해 이루어진 필연이라는 느낌을 준다. 그 이유는 두 남녀 간의 풍요제를 프로스페로가 제사장으로서 치밀하게 연출하고 있기 때문이다. 태풍으로 인해 난파된 후 바다 속에 익사될 수 있는 위험한 상황에서 극적으로 빠져나온 퍼디난드는 재생의 제의에 완벽하게 들어맞는 인물이다. 그는 "옛 사람을 벗어버리고 새 사람을 입는다"라는 에베소인들에 대한 바울의 권고에서 나오는 기독교인들의 이미지를 닮고 있다. 그는 미란다를 나폴리나 밀라노의 오염된 문명적 시각으로 바라보기 보다는 영혼의 눈으로 바라볼 수 있다. 비록 프로스페로에 의해서 교육을 받았지만 천사처럼 순수한 상태의 미란다를 자신의 반려로 선택할 수 있을 만큼 영적 가치에 대한 마음의 문이 열려있는 것이다. 미란다는 태풍의 바다 속에 빠진 후 영적으로 재생하여 나타난 퍼디난드를 발견하고 경이의 눈으로 바라본다. 그가 정령이 아니고 사람이라는 말에 프로스페로와는 다른 신선 같고 매우 고상한 사람이라고 탄복한다. 퍼디난드도 청순한 미란다의 모습에 매료되어 음악의 여신이라고 찬탄한다.

퍼디난드는 자신과 미란다 사이에 어떤 사회적 정치적 장애물이 놓여있는가를 알아차리지 못한다. 그는 미란다에게 첫눈에 반하여 그녀가 미혼이라면 자신이 물려받을 나폴리왕의 왕비로 삼겠다고 고백한다. 여기서 두 연인의 만남은 그들을 둘러싸고 있는 공동체를 변화시키기 위하여 선택된 희생양이라는 느낌을 준다. 프로스페로는 미란다와 함께 풀수 있는 문제이지만 제의의 과정이란 점을 고려하여 해결의 시점을 지연시킨다. 그는 오히려 제의의 새로운 단계를 위해서 치밀하게 준비한다. 그는 사랑의 완성과 연인들의 성숙을 위해서 중간단계가 필요하다고 판단한다. 풍요제의 완벽한 사랑으로 발전하려면 준비시간이 필요하다. 즉 완전한 사랑의 결합 이전의 미확정 단계를 겪지 않으면 제의에 참여하는 연인들이 성숙으로 도약할 수 없다. 이 미확정 단계는 혼돈이나 고통을 수반하게 되는데, 참여자 스스로 통과의례적 과정을 겪어야 한다. 이때 이를 감독하거나 안내하는 선배나 원로 등이 제사장의 역할을 하는 것이 관례이다. 그래서 프로스페로는 의도적으로 퍼디난드에게 고통스러운 노역을 시키기로 작정하는 것이다.

프로스페로는 마법을 이용하여 반항하는 퍼디난드를 꼼짝 못하게 하고 그에게 신분에 맞지 않는 언행을 사용하여 심적 고통을 줄 뿐 아니라 노역을 강요한다. 그는 계급이나 신분 등의 문명의 가치기준보다 풍요제에서 발견할 수 있는 순수한 사랑을 바탕으로 사랑이 맺어지도록 유도한다. 미란다는 프로스페로의 진의를 파악하지 못한 채 퍼디난드가 노역의 고통을 당하는 모습을 보고 안타까워하며 아버지에게 관용을 베풀도록 탄원한다. 물론 퍼디난드가 나폴리의 문명세계에서는 발견할 수 없는 영성을 미란다에게서 발견하였기에 그녀에게 매혹되었다고 볼 수 있다. 그는 프로스페로나 캘리반과는 달리 지금까지 전혀 발견할 수 없었던 인간세계의 색다른 모습이 신선한 매력으로 다가왔을 것이다. 하지만 사랑의 완성을 위해서는 달콤한 사랑의 감정 못지않게 어려움과 고통을 함께 하려는 측은지심이 가미되어야 단단해진다. 퍼디난드는 난파로 인해 겪은 상징적인 죽음과 재생을 통해서 사랑의 완성을 위한 채찍질을 감당할 마음의 준비가 되어 있다. 사랑이 그의 삶의 중심이 되고 최고의 가치가 되었을 때 퍼디난드는 비로소 현실의 고통을 극복할 수 있는 힘을 획득하는 것이다.

퍼디난드는 현실과 사랑이 이분법적으로 나뉜 별개의 것이 아니라 서로 보완하고 협력하는 동반관계임을 깨닫는다. 현실은 항상 고통이 수반되는 것인데 이 고통을 긍정적으로 수용하지 못하면 인간은 항상 삶을 염세적으로 살아갈 수밖에 없다. 퍼디난드는 고통을 수용할 수 있는 힘을 사랑에서 얻고 있으며 이를 통해 고통의 현실과 사랑의 적절한 조화를 체험한다. 그는 삼막 일장에서 통나무를 메는 노역을 끝내고 돌아오면서 노동이 천하고 힘들지만 미란다와 함께 있으면 생명력을 얻고 즐거움으로 변한다고 고백한다. 현실과 사랑에 대한 그의 균형 잡힌 시각은 프로스페로가 주재하는 사랑의 완성을 위한 풍요제와 통과의례를 성공적으로 이행하고 있음을 밝혀준다.

퍼디난드의 사랑에 비하여 그에 대한 미란다의 사랑도 못지않다. 그녀의 사랑은 고통에 대한 그녀의 반응에서 충분히 발견할 수 있다. 그녀의 사랑은 결코 달콤한 핑크빛 로맨스가 아니라 퍼디난드의 삶에 대한 균형적 태도에 매료되고 있다. 또한 그녀는 프로스페로가 가하는 노역으로 인한 고통을 자기화하여 심적 고통의 채찍질을 스스로에게 가한다. 그녀는 슬픔을 무생물에게도 감정이입을 하여 퍼디난드의 고통을 함께 나누고자 한다. 그녀는 퍼디난드에게 고통이 되는 통나무에게 벼락이 떨어져 태워버리기를 기원한다. 장작나무는 속된 것이지만 두 연인의 사랑의 제단에 사용되는 사물이다. 미란다는 장작을 나르는 노역에 동참하여 그것을 성스러운 사랑의 번제물로 인식함으로써 성스러운 사랑의 매개체로 변환시켜버린다.

프로스페로는 두 연인의 고통의 공유를 '사랑의 전염'이라고 정하며 그들의 사랑이 심도 있게 전개되고 있음을 확인한다. 그들의 사랑의 제의는 기독교적인 성격을 띠고 있다는 근거는 미란다의 정조관념에서 알 수 있다. 퍼디난드가 미란다의 아름다움에 대해서 절대적인 평가를 내리지만, 그녀는 다른 여성의 아름다움을 모른다고 밝히면서 자신의 사랑이 기독교적 절제와 영원성에 바탕을 두고 있어 영원하다고 강조한다. 그들의 모습을 보이지 않는 곳에서 지켜보는 제사장 프로스페로의 마음은 한없이 만족스러워 보인다. 그들의 초월적인 사랑과 조화는 그가 바라던 사랑의 표본이고 문명세계의 갈등과 정치적 음모를 치유할 수 있는 사랑의 묘약이다. 그는 퍼디난드가 미란다에게 바치는 플라토닉한 사랑을 목격하고 자신의 꿈이 거의 이루어졌다고 밝힌다.

퍼디난드와 미란다의 사랑의 절정은 가면극이다. 물론 가면극은 프로스페로의 상상 속에서 이루어지는 풍요제이지만 결혼이라는 신성한 의식 전까지는 성적 방종을 금지함으로써 이 극에서 연인들이 추구하는 사랑은 기독교적 절제와 순결에 바탕을 두고 있음을 알 수 있다. 반면에 캘리반이 추구한 미란다에 대한 강간시도는 저주스러운 죄악이라고 프로스페로는 비난한다. 이것은 셰익스피어가 보여주는 풍요제는 정열적이고 자유분방한 카니발적 풍요제와는 분명히 거리를 두고 있다는 보여준다. 오히려 성욕을 억압하여 성스러운 것으로 수용하려고 하는 기독교적 금욕과 절제를 바탕으로 한 풍요제라는 것을 알 수 있다.

셰익스피어 생애 및 작품 연보

셰익스피어의 생애와 작품의 집필연대 중 일부는 비교적 정확히 기록되어 있는 자료에 의존할 수 있지만, 대부분은 막연한 자료와 기록의 부족으로 그 시기를 추정할 수밖에 없으며, 특히 작품 연보의 경우 학자들에 따라 순서나 시기에 차이가 있음을 밝힌다.

1564	잉글랜드 중부 소읍 스트랫포드 어폰 에이번Stratford-upon-Avon 출생(4월 23일). 가죽 가공과 장갑 제조업 등 상공업에 종사하면서 마을 유지가 되어 1568년에는 읍장에 해당하는 직high bailiff을 지낸 경력이 있는 존 셰익스피어와, 인근 마을의 부농 출신으로 어느 정도 재산을 상속받은 메리 아든Mary Arden 사이에서 셋째로 출생. 유복한 가정의 아들로 유년시절을 보냄.
1571	마을의 문법학교Grammar School에 입학했을 것으로 추정.
1578	문법학교를 졸업했을 것으로 추정. 졸업 무렵 부친 존은 세금도 내지 못하고 집을 담보로 40파운드 빚을 냄.
1579	부친 존이 아내가 상속받은 소유지와 집을 팔 정도로 가세가 갑자기 어려워짐.
1582	18세에 부농 집안의 딸로 8년 연상인 26세의 앤 해서웨이 Anne Hathaway와 결혼(11월 27일 결혼 허가 기록).
1583	결혼 후 6개월 만에 맏딸 수잔나Susanna 탄생(5월 26일 세례 기록).

1585	아들 햄넷Hamnet과 딸 쥬디스Judith(이란성 쌍둥이) 탄생(2월 2일 세례 기록).
1585~1592	'행방불명 기간'lost years으로 알려진 8년간의 행방에 관한 자료가 거의 없음. 학교 선생, 변호사, 군인, 혹은 선원이 되었을 것으로 다양하게 추측. 대체로 쌍둥이 출생 이후 어떤 시점(1587년)에 식구들을 두고 런던으로 상경하여 극단에 참여, 지방과 런던에서 배우이자 극작가로서 경험을 쌓았을 것으로 추측.
1590~1594	1기(습작기): 주로 사극과 희극 집필.
1590~1591	초기 희극 『베로나의 두 신사』(*The Two Gentlemen of Verona*) 『말괄량이 길들이기』(*The Taming of the Shrew*)
1591	『헨리 6세 제2부』(*Henry VI*, Part II)(공저 가능성) 『헨리 6세 제3부』(*Henry VI*, Part III)(공저 가능성)
1592	『헨리 6세 제1부』(*Henry VI*, Part I)(토머스 내쉬Thomas Nashe와 공저 추정) 『타이터스 안드로니커스』(*Titus Andronicus*)(조지 필George Peele과 공동 집필/개작 추정)
1592~1593	『리처드 3세』(*Richard III*)
1592~1594	봄까지 흑사병 때문에 런던의 극장들이 폐쇄됨.
1593	「비너스와 아도니스」(*Venus and Adonis*)(시집)
1594	「루크리스의 강간」(*The Rape of Lucrece*)(시집) 두 시집 모두 자신이 직접 인쇄 작업을 담당했던 것으로 추

정되며, 사우샘프턴 백작The third Earl of Southampton에게 헌사
하는 형식.

챔벌린 극단Lord Chamberlain's Men의 배우 및 극작가, 주주로
서 활동.

1593~1603 및 이후 『소네트』(*Sonnets*)

1594 『실수 연발』(*The Comedy of Errors*)

1594~1595 『사랑의 헛수고』(*Love's Labour's Lost*)

1595~1600 2기(성장기): 낭만희극, 희극, 사극, 로마극 등 다양한 장르
집필.

1595~1596 『로미오와 줄리엣』(*Romeo and Juliet*)

『리처드 2세』(*Richard II*)

『한여름 밤의 꿈』(*A Midsummer Night's Dream*)

『존 왕』(*King John*)

1596 아들 햄넷 사망(11세, 8월 11일 매장).

부친의 가족 문장 사용 신청을 주도하여 허락됨(10월 20일).

1596~1597 『베니스의 상인』(*The Merchant of Venice*)

『헨리 4세 제1부』(*Henry IV, Part I*)

스트랫포드에 뉴 플레이스 저택Great House of New Place 구입
(마을에서 두 번째로 큰 저택으로 런던 생활 후 은퇴해서 죽
을 때까지 그곳에 기거).

1598 벤 존슨Ben Jonson의 희곡 무대에 출연.

1598~1599 『헨리 4세 제2부』(*Henry IV*, Part II)

『헛소동』(*Much Ado About Nothing*)

『헨리 5세』(*Henry V*)

1599   시어터 극장The Theatre에서 공연하던 셰익스피어의 극단이 땅
             주인의 임대계약 연장을 거부하자 '극장'을 분해하여 템즈강
             남쪽 뱅크사이드 구역으로 옮겨 글로브 극장The Globe을 짓고
             이곳에서 공연. 지분을 투자하여 극장 공동 경영자가 됨.

1599~1600   『줄리어스 시저』(*Julius Caesar*)
             『좋으실 대로』(*As You Like It*)

1601~1608   3기(원숙기): 주로 4대 비극작품이 집필, 공연된 인생의 절정기
1600~1601   『햄릿』(*Hamlet*)
             『윈저의 즐거운 아낙네들』(*The Merry Wives of Windsor*)
             『십이야』(*Twelfth Night*)

1601   「불사조와 거북」(*The Phoenix and the Turtle*)(시집)
             아버지 존 사망(9월 8일 장례).

1601~1602   『트로일러스와 크레시다』(*Troilus and Cressida*)

1603   엘리자베스 여왕 사망(3월 24일). 추밀원이 스코틀랜드의 제
             임스 6세를 잉글랜드의 제임스 1세로 선포.
             제임스 1세 런던 도착(5월 7일) 후 셰익스피어 극단 명칭이
             챔벌린 경의 극단에서 국왕의 후원을 받는 국왕 극단King's
             Men으로 격상되는 영예(5월 19일).
             제임스 1세 즉위(7월 25일).

1603~1604   『자에는 자로』(*Measure for Measure*)
             『오셀로』(*Othello*)

1605   『끝이 좋으면 모두 좋다』(*All's Well That Ends Well*)

『아테네의 타이몬』(*Timon of Athens*)(토머스 미들턴Thomas Middleton과 공동작업)

1605~1606 『리어 왕』(*King Lear*)

1606 『맥베스』(*Macbeth*)

『안토니와 클레오파트라』(*Antony and Cleopatra*)

1607 딸 수잔나, 성공적인 내과의사인 존 홀John Hall과 결혼(6월 5일).

1607~1608 『페리클레스』(*Pericles*)(조지 윌킨스George Wilkins와 공동작업)

『코리올레이너스』(*Coriolanus*)

1608~1613 제4기: 일련의 희비극 집필.

1608 셰익스피어 극장이 실내 극장인 블랙프라이어스Blackfriars 극장을 동료배우들과 함께 합자하여 임대함(8월 9일).

어머니 메리 사망(9월 9일 장례).

1609 셰익스피어 극장이 블랙프라이어스 극장 흡수, 글로브 극장과 함께 두 개의 극장 소유.

1609~1610 『심벌린』(*Cymbeline*)

1610~1611 『겨울 이야기』(*The Winter's Tale*)

『태풍』(*The Tempest*)

1611 고향 스트랫포드로 돌아가 은퇴 추정.

1613 『헨리 8세』(*Henry VIII*)(존 플레처John Fletcher와 공동작업설)

『헨리 8세』 공연 도중 글로브 극장 화재로 전소됨(6월 29일).

1613~1614 『두 귀족 친척』(*The Two Noble Kinsmen*)(존 플레처와 공동작업)

1614~1616 말년: 주로 고향 스트랫포드의 뉴 플레이스 저택에서 행복하

고 평온한 삶 영위.

1616   둘째 딸 쥬디스, 포도주 상인 토마스 퀴니Thomas Quiney와 결혼(2월 10일).

쥬디스의 상속분을 퀴니가 장악하지 않도록 유언장 수정(3월 25일).

스트랫포드에서 사망(4월 23일. 성 삼위일체 교회 내에 안장).

1623   『페리클레스』를 제외한 36편의 극작품들이 글로브 극장 시절 동료 배우 존 헤밍John Heminge과 헨리 콘델Henry Condell이 편집한 전집 초판인 제1이절판으로 출판됨.

아내 앤 해서웨이 사망(8월 6일).

옮긴이 **박정근**
고려대학교 영문과 문학박사
대진대학교 문화예술대학원 성악전공 석사 취득
대진대학교 영문과 교수
한국 셰익스피어학회 회장 역임
윌더니스 문학 발행인, 한국 문인협회 회원(시인), 포천신문 칼럼위원회 고문, 노래하는 사람들
상임대표, 셰익스피어 탄생 450주년 기념 문화축전 공동 추진 위원장

역서 『키호테 신부』, 『메데이아』, 『욕망이라는 이름의 전차』
저서 『아폴로 사회와 디오니소스 제의』, 『서양 극예술 개론』, 『물의 노래』, 『바람에 날리는 눈꽃
　　　같은 사랑』, 『허공에서 떨어지는 영산홍』

태풍

초판 발행일 2014년 8월 10일

옮긴이　박정근
발행인　이성모
발행처　도서출판 동인
주　소　서울시 종로구 혜화로3길 5 118호
등　록　제1-1599호
TEL　　(02) 765-7145 / FAX (02) 765-7165
E-mail　dongin60@chol.com
I S B N　978-89-5506-604-3
정　가　8,000원